JEFF KINNEY'NİN DİĞER KİTAPLARI

Çeviri: Kenan Özgür

Wimpy Kid
SAFTİRİK
FİLM GÜNLÜĞÜ

GREG HEFFLEY'İN

YOLU HOLLYWOOD'A

NASIL DÜŞTÜ?

Jeff Kinney

Ⓔpsilon®

SAFTİRİK Film Günlüğü

Orijinal Adı: The Wimpy Kid Movie Diary
Yazarı: Jeff Kinney
Genel Yayın Yönetmeni: Meltem Erkmen
Çeviri: Kenan Özgür
Düzenleme: Gülen Işık
Düzelti: Fahrettin Levent
Kapak Uygulama: Berna Özbek Keleş

7. Baskı: Ağustos 2013
ISBN: 978-9944-82-462-0

Baskı ve Cilt: Kitap Matbaacılık
Davutpaşa Cad. No: 123 Kat: 1 Topkapı-İst
Tel: (0212) 482 99 10 (pbx)
Fax: (0212) 482 99 78
Sertifika No:16053

Yayımlayan:
Epsilon Yayıncılık Hizmetleri Tic. San. Ltd. Şti.
Osmanlı Sk. Osmanlı İş Merkezi No: 18 / 4-5 Taksim/İstanbul
Tel: 0212.252 38 21 pbx Faks: 252 63 98
İnternet adresi: www.epsilonyayinevi.com
e-mail: epsilon@epsilonyayinevi.com
YAYINEVİ SERTİFİKA NO: 12280

ZACH VE ROBERT'A

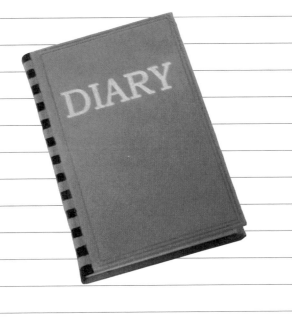

BİR SAFTİRİK DOĞUYOR

Greg Heffley, 1998 yılı Ocak ayında Massachusetts'te küçük bir apartman dairesinde yaratıldı. Aslında ortada pek de bir şey yoktu. Greg, ucuz bir eskiz defterine kurşun kalemle yapılmış bir karalamadan ibaretti sadece.

Bir ay sonra, ülkenin öbür ucunda, Kaliforniya'da Zachary Gordon dünyaya geldi. O sıralarda Greg ve Zach'in pek fazla ortak özellikleri yoktu.

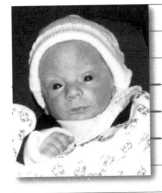

Ancak on bir yıl sonra, Zach, "Saftirik Greg'in Günlüğü" nün sinema filminde Greg rolünü oynamak üzere seçilince, ikisi bir araya geldiler.

Bu kitap, küçücük bir fikrin kocaman bir sinema filmi haline gelmesinin ve kurgu bir cizgi karakterin gerçek bir çocuğa dönüşmesinin öyküsünü anlatıyor.

7

ZORLU BAŞLANGIÇ

Greg Heffley, hayata eksiksiz bir şekilde oluşmuş halde başlamadı. Her çocuk gibi, onun da kendi başına dış dünyaya açılmaya hazır olmadan önce değişmesi ve gelişmesi gerekiyordu.

Aslında, Greg'in bugünkü haline gelmesi epey uzun zaman aldı. Kendisinin neredeyse bir çöp adam olduğunu düşünürsek, bu oldukça garip değil mi?

Gördüğün gibi, Greg biraz zorlu bir başlangıç yaptı ama zaman içinde değişim gösterdi.

8

Bir yandan Greg görünüm açısından önemli değişimler yaşarken, bir yandan da öyküleri oluşuyordu. "Saftirik Greg'in Günlüğü" dizisi ile ilgili tüm fikirler, Greg'in ilk ortaya çıktığı eskiz defterine yazıldı.

Eskiz defterinin ilk sayfalarının her biri birkaç saatte doluyordu.

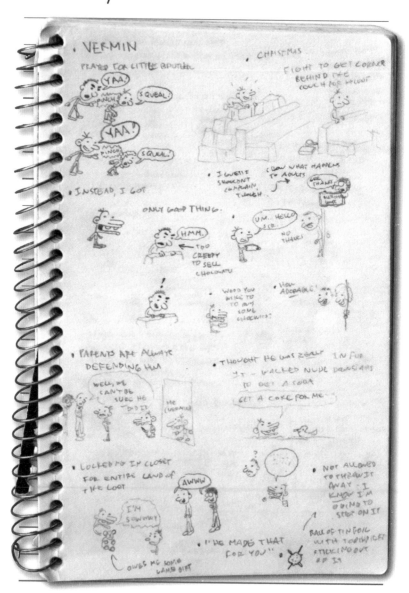

Zaman içinde, her sayfayı giderek daha fazla fikir doldurmaya başladı. Son birkaç sayfayı tamamlamak AYLAR aldı.

Eskiz defterinin dolması ve "Saftirik Greg'in Günlüğü" evrenindeki tüm sahne ve karakterlerin oluşması için dört yıl geçmesi gerekti. Tam en son fikir yazıldığında, Zach Gordon dördüncü doğum gününü kutluyordu.

Eskiz defterinin sayfalarının fotokopileri çekildi, her bir espri kesildi ve dev kartonlara yapıştırıldı. Bütün o küçük kâğıt parçalarını sıraya sokmak ve tek bir öyküye dönüştürmek için BİRKAÇ yıl daha geçmesi gerekti.

Sonuçta ortaya ilk olarak internet ortamında yayınlanan 1300 sayfalık dev bir kitap çıktı. Eskiz defterinde yazılı malzemelerin %90'ı burada yer almıyordu.

Bir yıl sonra, New York'ta bir editör "Saftirik Greg'in Günlüğü'nü" yayınlamaya karar verdi. İşte Greg Heffley'in eskiz defterinden basılı bir kitaba sıçraması böyle oldu.

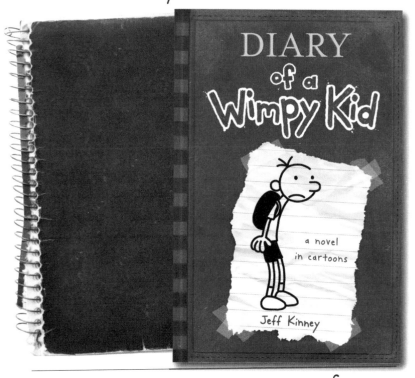

Birkaç ay sonra, şu anda televizyon ve film sektöründe aktör olarak çalışan Zach Gordon kitabı okudu ve annesine bir gün birilerinin bunu filme uyarlamasını umduğunu söyledi. Eğer bu gerçekleşirse, kendi de Greg Heffley'i canlandırmak istiyordu.

GERÇEKLEŞTİRMEK

"Saftirik Greg'in Günlüğü"nü film yapmayı düşünen tek kişi Zach değildi. Meğer Hollywood'da birkaç kişi daha aynı şeyi düşünüyormuş.

Ama herkesin film versiyonunun nasıl olacağı konusunda farklı bir fikri vardı.

Bir sürü insan öykü ve karakterler üzerinde büyük değişiklikler yapmak istiyordu. Ama sonunda, bir film stüdyosu iyi bir fikirle çıkageldi.

"Saftirik Greg'in Günlüğü"nün film versiyonu fikri bazı soruları ortaya çıkardı. Kitabın hayranları, Greg'in gerçek bir aktör tarafından canlandırılmasına ne diyeceklerdi? Bu aktör, hayranların istediği gibi görünecek miydi? Ama ilerlemeye başlamadan önce, üzerinde düşünülmesi gereken daha da önemli şeyler vardı.

HOLLYWOOD'A GİDİYORUZ!

Bir filmin çekilmesinden sorumlu olan kişiler stüdyo yöneticileri ve yapımcılardır. Yaptıkları ilk şey, yazarları davet edip onlara filmde neler olması gerektiği konusunda fikirlerini sormaktır.

> FİLM, BİR ORTAOKUL BAHÇESİNİN TEPEDEN ÇEKİLMİŞ GÖRÜNTÜSÜ İLE BAŞLAR. BASKETBOL SAHASINDA SOĞUK BİR RÜZGÂR ESER VE YAPRAKLARI DAĞITIR. KAMERA GELİP KÜFLÜ BİR PARÇA PEYNİR ÜZERİNDE DURUR...

Stüdyo ve yapımcılar, hoşlandıkları bir fikir duyduklarında, yazarlarla senaryo üzerinde çalışmaları için anlaşırlar. Senaryo, hareketlerden diyaloglara kadar filmde olup biten her şeyi anlatır.

İşte "Saftirik Greg'in Günlüğü" filminin açılış sahnesinin senaryodaki hali:

Giriş: GREG'İN ODASI 1
SİYAH EKRAN. Hafif soluma.

SÜPER: Ekrana Greg'in el yazısıyla "Eylül"
yazılır.

Sonra GÜÇLÜ BİR IŞIK

RODRICK

GREG'İN BAKIŞ AÇISI: On altı yaşında küstah bir
tip olan RODRICK HEFFLEY'nin yüzüyle karşılaşırız.
Rodrick okula gitmek için hazırlanmıştır.

RODRICK (DEVAM)
Greg!

GREG
(Yarı uyur yarı uyanık halde)
Ne?

Rodrick, 12 yaşındaki Greg Heffley'Yi yatağında
sarsar.

RODRICK
Ne yapıyorsun sen? Kalk! Annemle babam
bir saattir sana sesleniyorlar. Okulun
ilk günü geç kalacaksın.

GREG
Ne?

Greg saatine bakar. 8:01'i göstermektedir.

Yazarlar kitabın en önemli kısımlarına filmde yer vermeye çalışırlar ama değişiklikler de yaparlar. Kitabın bazı sahneleri ve karakterleri çıkarılır, yenileri eklenir. Bazen yazarlar, izleyicileri şaşırtmak için yeni espriler ve sahneler eklerler. Çünkü, dürüst olalım, eğer kitapta olup biten her şey filmde bire bir tekrarlanırsa, o zaman filmi izlemenin bir anlamı kalmaz, değil mi?

Stüdyo yöneticileri ve yazarlar önerilerde bulunurlarken, senaryo bir sürü değişikliğe uğrar. Yazarların getirdiği her senaryoya yeni bir taslak denir. Film çekilmeye başlamadan önce, "Saftirik Greg'in Günlüğü" için de yaklaşık on taslak hazırlandı.

Her fikir, son taslakta yer almaz. İşte önce senaryoda bulunan ama sonra kesilen bir sahne:

RODRICK

Hey, ufaklık, babam dondurmalı pasta getirmiş. Eğer yemek istiyorsan, poponu kaldırsan iyi edersin.

GREG
Bilmem. Benim başım dertte gibi.

RODRICK
Evet, bu yüzden pasta almışlar zaten. Annemle babam seni böyle sert cezalandırdıkları için kendilerini kötü hissediyorlar.

Greg yerinden fırlar ve kapıya koşar.

İÇ. HEFFLEY'LERİN KORİDORU- AZ SONRA

Greg merdivenlerden koşarak iner ve salonun girişinde kayarak durur.

İÇ. HEFFLEY'LERİN SALONU — DEVAM

Heffley'lerin DİĞER ÇİFTLERLE birlikte sakin bir davette olduklarını görürüz. Herkes şıktır, sehpanın üzerinde peynir ve krakerler vardır. Büyükler, iç çamaşırlarıyla gelen ve çaresizce orasını burasını örtmeye çalışan Greg'e bakarlar.

YÖNETMEN ARAYIŞI

Stüdyo ve yapımcılar bir yandan yazarlarla birlikte senaryo üzerinde çalışırken, bir yandan da yönetmen aramakla meşguldüler. Uzun bir araştırmanın ardından, Thor Freudenthal'i seçtiler.

Thor'un (Tor diye okunuyor) "Saftirik Greg'in Günlüğü"nü yönetmek üzere tercih edilmesinin nedeni, kitabı beyazperdeye taşımak konusunda bir sürü ilginç fikrinin olmasıydı. Kitabın ruhunu yakalamak ve izleyicilere Greg'in kafasının içinde oldukları duygusunu yaşatmak için çeşitli sinema teknikleri ve tarzları kullanmayı düşünüyordu.

Thor yönetmen olmadan önce özel efektler ve animasyon sanatçısı olarak çalışmış. Bu beceriler, Greg Heffley'i hayata geçirmek konusunda çok işe yarayacaktı. Ancak yapımcıları Thor'un "Saftirik Greg'in Günlüğü"nü yönetmek için doğru kişi olduğuna ikna eden başka bir şey daha vardı.

20

Thor çocukluğunda içinde illüstrasyonlar olan bir günlük tutmuş, tıpkı Greg gibi. Yazdıklarının neden İngilizce olmadığını merak ediyorsan söyleyelim, çünkü Thor Almanya'da büyümüş.

CEVİRİ:

SEVGİLİ DEFTER!

BUGÜN SINIFTA BAYRAK YARIŞI YAPILDI. BİZİM TAKIM SONUNCU OLDU.

Lieber Buch!

Gerade war ich beim Staffellauf von unserer Klasse! Wir sind letzter geworden.

Thor

.TEST:

KALİTE SORUNU OLAN ÇAMAŞIR MAKİNESİ

SEHR

GUT

GREG ARAYIŞI

Yönetmen belirlendikten sonra, Greg Heffley'i canlandıracak çocuğun arayışına başlandı.

Çizgi karakter Greg'in yerini tutacak bir çocuk bulmak hiç kolay değildi. Kitaplarda fark etmişsindir, Greg her zaman çok sevimli bir karakter değil.

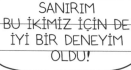

SANIRIM
BU İKİMİZ İÇİN DE
İYİ BİR DENEYİM
OLDU!

Greg'i canlandırmak üzere seçilecek çocuğu zorlu bir görev bekliyordu. Zaman zaman son derece sinir bozucu görünecek ama bir yandan da izleyicilerin onu desteklemesini sağlayacaktı.

Seçmeler için sayısız televizyon ve sinema oyuncusu getirildi. Hepsinden Greg'in açılış konuşmasını ezberlemeleri ve bunu kamera karşısında tekrarlamaları istendi.

BİR KERE ŞUNU BAŞTAN SÖYLİYİM

Ama hiç kimse mükemmel görünmüyordu. Stüdyo ve yapımcılar, Greg için ülke çapında bir araştırma yapmaya karar verdiler. Aradıkları çocuğun ayrıntılı bir tarifini yaptılar ve her yere dağıttılar.

Greg Heffley karakteri minyon, çelimsiz. Çok şeker ya da "harika çocuk" değil. Biraz sinsi, insanın aklında kalacak bir yüzü var, parlak fikirler geliştiriyor, hayal dünyası çok geniş ama ortaokulda olmanın lanetini yaşıyor. Seçmelere katılan oyuncuların diyalogların üstesinden gelmeleri ve ironik komedi konusunda yetenekli olmaları gerek.

Araştırmaya faydası olur düşüncesiyle bir web sitesi bile oluşturuldu. Her tip ve ölçüde binlerce çocuk seçmelere katılmak için internet üzerinden başvuru yaptı.

Sonunda rolü Zachary Gordon aldı. Zach'in performansı, Greg Heffley karakterini hayata geçirmek konusunda başarılı olacağına dair hiçbir şüphe bırakmıyordu. Kim bilir? Belki de Zach'in on birinci doğum gününden birkaç gün önce yapımcılara gönderdiği şu çizim rolü almasına yardımcı olmuştur.

ZACH, DOĞUM GÜNÜ
DİLEĞİNİN ROLÜ ALMAK
OLDUĞUNU SÖYLEMİŞ.

ARKADAŞ ARAYIŞI

Bundan sonra Greg'in bir arkadaşa ihtiyacı vardı. Tabii Greg'in kitaptaki en iyi arkadaşı Rowley Jefferson idi.

Rowley birçok açıdan Greg'in zıddı. Mutlu, masum bir çocuk ve sadık bir arkadaş. Neyse ki, mükemmel Rowley Jefferson Rhode Island'da bulundu. Adı Robert Caprin idi. Robert da daha önce sahne ve sinema çalışmaları yapmıştı.

Tıpkı Zach gibi, Robert da rol için ne kadar hevesli olduğunu göstermek üzere yapımcılara bir çizimini göndermişti.

Bundan sonraki aşama, iki çocuğu bir araya getirmek ve kimyalarının uyuşup uyuşmadığını görmekti. Başka bir deyişle, Zach ve Robert iki arkadaş olarak inandırıcı görünecekler miydi? Robert, Kaliforniya'ya uçtu ve orada ilk kez Zach ile karşılaştı.

İki çocukla bir deneme filmi çekildi; yani kısa bir sahne çekilip oyuncuların kamera karşısında birlikte nasıl göründüğüne bakıldı. İki oyuncu, hemen hiçbir sahne eşyası ya da fonun olmadığı boş bir ortamda performanslarını sergilediler.

Deneme çekiminde Greg, Rowley'e "ortaokula daha uygun" kıyafetler giymek konusunda söylev çekiyordu. Bu sahne filmde yer aldı ama tamamen farklı görünüyordu.

Herkes iki çocuğun kimyalarının gerçekten uyuştuğu, Greg ve Rowley ile onların karmaşık ilişkisini büyük bir başarıyla hayata geçirdikleri konusunda hemfikirdi.

EV ÖDEVİ?

Zach ve Robert'in rollerine ısınmalarını sağlamak için, Thor her iki çocuktan canlandıracakları karakterin bakış açısına göre birer deneme yazmalarını istedi. Zach kendi yazısını bilgisayarda yazdı.

Diary of a Wimpy Kid

Greg Hefley's Perspective

In middle school I'm basically the only mature and normal student. For example my best friend Rowley is sort of a 4th grader because he acts like it, but I'll fix him up in no time, the good thing about him is he's warm hearted and doesn't really know how to act like a normal 6th grader but he is really lucky he has me.

My mom really doesn't get me all that well, I mean, she knows I'm in middle school but she treats me like a kid. And my dad, don't even get me started on my dad, the funny thing is he'd rather play with his miniature battlefield than hang out with his children or his family. WHICH U FINE WITH GREG, UNTIL RODRICK NAGGES.

So yeh, my brother Rodrick is such a jerk he just finished giving me a pep-talk with his unshaved armpit hairs in my face. He always tortures me in ways no ordinary teenager could think of, it's like he's incredibly smart when it comes to torturing me, but he's not good in school, kind of funny, huh? HE WOULD NOT COMES OUT (WITH THAT

My little obnoxious baby brother Manny is like Rodrick the second, he always makes these weird grunting

* ÇEVİRİSİ SAYFA 227'DE

Robert ise denemesini el yazısıyla yazmıştı.

Hi! My name is Rowley Jefferson. I am just moving into middle school, and I love it. It's amazing I got this far in life already!

I was born in Ohio, and moved here around the age of 5. I've always loved my parents, even though they can be strict. My parents are very rich, so we go on vacations a lot. I love going to new places, especially Europe. That's when I first heard about Joshie. He's the best singer ever! And then there's when I went to Australia. G'day, mate! Anyway, I love having fun, especially with Greg. Greg's my best friend, and we play all the time. He's a really nice guy, although sometimes we don't agree on things. Like going into his brother Rodrick's room, or acting like somebody else. But we're still great friends. I don't think I like people that are mean. They're not very nice, and you can't have fun with them. And people that lie are difficult,

Zach da Robert da karakterlerini iyice benimsediklerini ve başlamaya hazır olduklarını kanıtlamışlardı böylece.

---

* ÇEVİRİSİ SAYFA 229'DA

MÜKEMMEL NOKTA

Artık iki başrol oyuncusu ve prensipler
belirlendiğine göre, filmin nerede çekileceğine
karar verme vakti gelmişti.

Ama bir mesele vardı: "Saftirik" kitaplarında,
öykülerin nerede geçtiğine dair pek ipucu yok.
Hiçbir şehir ya da ülke belirtilmiyor. Ancak
karakterler Cadılar Bayramı'nı ve Şükran
Günü'nü kutladıkları için, ABD'de yaşadıklarını
biliyoruz. Ama doğuda mı, batı da mı, yoksa
ortalarda bir yerde mi yaşadıkları anlaşılmıyor.

Kitaplarda coğrafi ipuçlarına yer verilmemesinin
nedeni, okuyucunun bu öykülerin her yerde
geçebileceğine inanmasının istenmesi. Ülkenin öbür
ucunda da olabilir, caddenin hemen karşısında da.

Yapımcılar, tipik bir Amerika kasabası gibi görünen bir yer aradılar. Rhode Island'ı, Michigan'ı ve ABD'de bir sürü başka yeri düşündüler. Sonunda mükemmel Amerika kasabasını Kanada'da bulmaları ilginçti.

"Saftirik Greg'in Günlüğü" için mekan olarak Vancouver seçildi çünkü banliyölerdeki evler ve okullar ABD'dekilere benziyordu. Üstelik, Vancouver'da bir sürü başka film çekilmişti. Hatta öyle çok film çekilmişti ki kimileri buraya "Hollywood North" (Kuzey Hollywood) diyordu.

33

TAKIMI OLUŞTURMAK

Yerin belirlenmesinin ardından, yapımcılar filmin çekilmesi için ekibi oluşturacak kişileri topladılar. Ekip kamera operatörleri, ışık ve ses teknisyenleri, saç ve makyaj uzmanları, kostüm tasarımcıları, yani kısacası filme emek veren ama oyuncu olmayan herkesten oluşuyordu.

Kitap yazmakla film çekmek arasındaki farkı işte burada görebilirsiniz: Kitabı tek bir kişi yazar ama bir film çekmek için yüzlerce kişi gerekir.

Yazar koca bir kitabı ucuz bir deftere yazabilir. Ama vasat bir Hollywood filmi çekmek bile milyonlarca dolara malolur.

KİTAP İÇİN MİNİMUM GEREKLİLİKLER

34

EKİP

Peki bütün bu para nereye harcanır? Kamera ve ışık kiralama, yemek ve otel, set ve kostüm tasarımı, ulaşım, oyunculara ve ekibe ödenen para.

Uzun lafın kısası, büyük patlamalar ya da bilgisayarla yapılmış yaratıklar olmasa bile, bir film çekmek hiç de ucuz bir şey değildir.

YEŞİL, "HAYDİ" ANLAMINA GELİR

Bütün parçalar –senaryo, yönetmen, başrol oyuncuları, mekan ve ekip– birleştiğine göre, stüdyo film için yeşil ışık yakmaya hazırdı. O ana kadar her şey yavaş yavaş ilerliyor. Ancak yeşil ışıktan sonra, her şey bir anda oluveriyor.

Kendilerine haber verildiğinde, Zach ve Robert ülkenin birer ucunda okul telaşı içerisindeydiler.

Bir anda iki çocuğun hayatı tamamen değişivermişti. Bavullarını topladılar ve yanlarında anne ya da babalarıyla Vancouver'a doğru yola koyuldular.

Zach ve Robert üç ay sonra evlerine dönebileceklerdi.

Bu arada, Greg'in ailesinde Manny dışında herkes belirlenmişti.

BABA
(STEVE ZAHN)

RODRICK
(DEVON BOSTICK)

GREG
(ZACH GORDON)

ANNE
(RACHAEL HARRIS)

Oyuncular, birbirlerini ilk kez gördükleri Vancouver'a davet edildiler.

Oyuncular bir "okuma toplantısı"na katıldılar ve baştan sona senaryonun üzerinden geçtiler. Bu yönetmene, yazarlara, yapımcılara ve stüdyoya metni ilk kez oyuncuların ağzından duyma fırsatını verdi ve diyalogların geliştirilmesine yardımcı oldu.

Daha önce hiç tanımadığın insanlarla çalışmak ve onlara sanki ailenmiş gibi davranmak garip bir deneyim olabilir. Bu yüzden yapımcılar yeni bir araya gelen Heffley'lerin birbirlerini daha iyi tanımaları için "aile gezileri" düzenledi. Okuma toplantısından sonra, Rachael Harris, Zach Gordon ve Devon Bostick bowling oynamaya gittiler.

Birkaç hafta sonra, Steve Zahn da gruba katıldı ve hep birlikte ailece ilk yemeklerine çıktılar.

BOŞLUKLARI DOLDURMAK

Filmde, Greg'in ezeli düşmanı Patty Farrell'dan Peynir Değdir oyununu ilk başlatan çocuk olan Darren Walsh'a kadar her rol için birinin bulunması gerekiyordu.

PATTY FARRELL
(LAINE MACNEIL)

DARREN WALSH
(HARRISON HOUDE)

Bir casting yönetmeni, oyuncuları seçmelere davet etmeden önce binlerce özgeçmiş ve fotoğrafı taradı. Sonunda yapımcılar her rol için bir karara vardılar.

"Saftirik Greg'in Günlüğü" Vancouver'da çekildiğinden, filmde gördüğünüz çocukların çoğu o bölgeden. Ancak Fregley ve Chirag rollerini canlandıran çocuklar ABD'dendi.

Grayson Russell (Fregley) Alabama, Karan Brar (Chirag) ise Washington'dan. Fregley ve Chirag'in kitaptaki rolleri küçük ama filmdeki rolleri büyütüldü.

FREGLEY
(GRAYSON RUSSELL)

CHIRAG
(KARAN BRAR)

ÇİFTE BELA

Karar verilmesi en zor rollerden biri, Greg'in üç yaşındaki kardeşi Manny idi. Kitaplarda, Manny'nin dişlek bir timsaha benzediğini fark etmişsindir belki. Ne yazık ki Vancouver'da, ya da belki hiçbir yerde, böyle görünen pek fazla çocuk yoktu.

FIRT

Bu nedenle, casting yönetmeni başka bir yönteme başvurdu ve yüzü akılda kalacak, şeker bir çocuk aramaya başladı. Yine uzun süren araştırmalardan sonra, mükemmel Manny bulundu. Daha doğrusu iki tane bulundu...

CONNOR VE OWEN FIELDING

Üç yaşındaki çocukların en büyük sorunu, her zaman sizin onlardan istediklerinizi tam olarak yapmamalarıdır. Bu nedenle biri işbirliğine yanaşmadığında yedeğinin olması iyi bir fikirdi.

Üç yaşındaki oyuncuların komik bir tarafı da, oyuncu olduklarının bilincinde olmamalarıdır. Repliklerini ezberlemekle ya da provalarla filan ilgilenmezler. Bir bakarsın, kendi âlemlerindedirler, bir bakarsın filmde rol yapmaya başlamışlardır.

SAFTİRİK DÜNYASININ KIZLARI

Bir diğer zorluk da Greg'in sınıf arkadaşlarını canlandıracak kızları bulmaktı. "Saftirik Greg'in Günlüğü"nde kızların çoğu birbirine çok benziyordu. Hatta aralarındaki tek fark saçlarıydı neredeyse.

Öte yandan kitaptaki oğlanlar birbirinden çok farklıydı.

Neden peki? Hatırla, Greg'in günlüğü onun bakış açısıyla yazılıyor, yani her şeyi onun gözleriyle görüyoruz. Ve Greg, bütün kızların üç aşağı beş yukarı aynı olduğunu düşünüyor. Bu nedenle hepsi aynı çizildi.

Çünkü Greg henüz kızları "anlamıyor". Kızlar onun için bir sır. Neden sürekli grup halinde dolaştıklarını ve tuvalete bile ikişer kişi gittiklerini bir türlü çözemiyor.

Tabii birbirinin aynı bir grup bayan oyuncuyla film çekemezsin. Bu yüzden "Saftirik Greg'in

Günlüğü" filmindeki kızlar, tıpkı gerçek hayatta olduğu gibi, birbirlerinden çok farklı görünüyorlar.

Sadece Greg'in onları birbirinden ayırt edebilmesini bekleme yeter.

ANGIE
(CHLOE MORETZ)

45

PEYNİRLİ KÖTÜLÜK

Her filmde kötü bir adama ihtiyaç vardır; bu film de istisna değildi. Ancak "Saftirik Greg'in Günlüğü"ndeki kötü adam insan değil, bir süt ürünüydü.

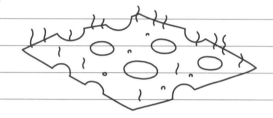

Evet, bu filmin kötü adamı bir parça peynirdi. Ancak doğru peynir parçasını bulmak, diğer önemli rollerdeki oyuncuları bulmak kadar zordu.

Cedar rolü için her türde peynir düşünüldü. Amerikan, İtalyan... Ama sonunda kocaman bir dilim İsviçre peyniri rakiplerine üstün geldi.

Güneşte kalması halinde peynire ne olacağını görmek için, gerçek bir dilim yere kondu ve hayvanları uzak tutup içeri hava girmesini sağlamak için üzeri ağ ile örtüldü. Bu, peynirin "yaşlanmasına" ve filmi çekenlerin güneşin, yağmurun ve soğuk havanın peynir üzerindeki etkilerini incelemesine olanak tanıyacaktı.

Filmde yakın çekimde gösterilen, Peynir'in kendisi değil aslında. Bilgisayar hilesi. Görsel efektler departmanı başlangıç noktası olarak bir parça silikon kullandı. Sonra da çürüme aşamalarını dijital olarak ekledi.

47

BİRİNCİ AŞAMA

Peynir için "boş" silikon. Dijital yaşlanma etkileri bu model üzerine boyandı.

İKİNCİ AŞAMA

Okulun ilk günü görünen haliyle Peynir.

48

ÜÇÜNCÜ AŞAMA

Birkaç ay sonra Peynir daha küflü ve iğrenç hale geliyor.

DÖRDÜNCÜ AŞAMA

Peynir ağzınıza layık görünüyor.

ÇEKİM PROGRAMI

Yapım ekibinden biri son senaryoyu aldı ve çekim programı üzerinde çalışmaya başladı. Her günün her dakikasının önceden planlanması gerekiyor çünkü zamanı aşmak çok pahalıya maloluyor. Program aslında dev bir yap-boz gibi; sahneler de bu yap-bozun parçaları.

Burada mesele parçaları birbirine uygun şekilde eklemek; böylece film belirlenen zaman içinde ve bütçeye uygun olarak çekilebiliyor.

Planlamayı böylesine zorlaştıran şey, filmin sıraya uygun, baştan sona çekilmemesi. Bunun nedeni de şu: Belirli bir mekanda geçen tüm sahneleri arka arkaya çekmek çok daha verimli oluyor. Böylece ekip malzemeleri oradan oraya taşımak zorunda kalmıyor.

Ekipteki sorumlu program üzerinde çalışırken, yönetmen de kendince planlamalar yapıyordu. Thor, her çekimi planlamak üzere film için storyboard oluşturmaya başlamıştı.

Storyboard, bir sahnede olan her şeyi anlatan elle yapılmış çizimler dizisidir. Bir çekimde hangi oyuncular var, nasıl hareket ediyorlar, kamera nerede... Birçok filmde storyboard'ları oluşturmak için bir sanatçıyla anlaşılır. Ama "Saftirik Greg'in Günlüğü"nde bunu Thor kendisi yaptı.

51

KARAKTERE BÜRÜNMEK

Filmin bütün oyuncuları belirlendikten sonra, sıra kostümleri yaratmaya gelmişti.

"Saftirik Greg'in Günlüğü"ndeki karakterlerin kostüm giymediklerini çünkü günlük kıyafetler içinde dolaştıklarını düşünebilirsin. Oysa her karakterin gardırobu üzerinde uzun uzun düşünüldü ve çalışıldı.

Kostüm tasarımcılarının ilk işi, ilham almak için kitaba bakmak oldu. Ama karakterler sürekli aynı şeyleri giydikleri için bunun pek faydası olmadı.

Greg'in filmde her gün beyaz tişört ve siyah şort giymesi hem sıkıcı olurdu hem de pek gerçekçi olmazdı. Bu yüzden bütün okul yılına yetecek genişlikte bir gardırop oluşturuldu.

Kostüm sadece kıyafet demek değildir. Sana karakterler hakkında daha fazla bilgi verir. Greg'in gardırobu, onun dünyadaki küçüklüğünü vurgulamak için epey dar kıyafetlerden oluşuyordu. Tişörtleri ve pantolonları da biraz yıpranmıştı çünkü bunları ondan önce ağabeyi Rodrick giymişti. Bu nedenle Greg, hiçbir zaman yeni bir şeye sahip olamadığı için, kendini mutsuz hissediyordu.

Öte yandan Manny sürekli yepyeni kıyafetler giyiyordu. Bu da bize Manny'nin anne babasından ayrıcalıklı muamele gördüğü konusunda fikir veriyor.

Manny'nin Cadılar Bayramı kıyafeti bile, Greg'in kostümünün çok daha şık versiyonuydu.

Rowley'in kıyafetleri rahat ama şekilsiz görünüyordu. Bu kıyafetler, garson boyla büyük boy arasıydı. Rowley farkında olmasa da kıyafetleri onun topluma pek ayak uyduramadığını gösteriyordu.

Greg'in aksine, Rowley'in havalı görünmek gibi bir derdi yok. Annesi ona kendini güvende ve mutlu hissetmesini sağlayacak kıyafetler giydiriyor.

Rowley bazen yabancı ülkelerden alınmış kıyafetler de giyiyor. Rowley sık sık ailesiyle seyahatlere çıkıyor. Bu da Greg'i sinir ediyor ve onun arkadaşını kıskanmasına neden oluyor.

Fregley garip bir karakter, bütün sınıf arkadaşlarından farklı giyiniyor.

Fregley'in annesi terzi, oğlunun bütün giysilerini o dikiyor. Bir sürü eski kumaş kullanıyor; insan onun kıyafetlerin bazılarını pijama malzemelerinden bile yapmış olabileceği hissine kapılıyor.

Fregley'in annesinin oğlunu çok sevdiği ama normal bir ortaokul öğrencisinin nasıl giyinmesi gerektiği konusunda hiçbir fikrinin olmadığı çok açık. Fregley'in gardırobu da onun arkadaşlarına uyum sağlamayı hiç mi umursamadığını gösteriyor.

Kostüm tasarımcılarının yaşadığı en büyük zorluklardan biri, filmdeki kıyafetlerin zamansız görünmesini sağlamak. Öykünün nasıl herhangi bir YERDE geçiyor olabileceği hissini vermesi gerekiyorsa, herhangi bir ZAMANDA geçebileceği duygusunu da yaşatması gerek.

Bu nedenle kostüm tasarımcıları yirmi yıl önce de çocuklar tarafından giyilmiş olabilecek ya da bundan yirmi yıl sonra da giyilebilecek kıyafetler aldılar ya da hazırladılar.

Sadece zamansız görünen kıyafetleri bir araya getirmeleri yetmiyordu, her kıyafetin birden fazla versiyonunu hazırlamaları da gerekiyordu. Böylece, eğer Robert kardan adamlı kazağına sıcak çikolata dökerse, kıyafet departmanının elinde bu kazağın bir yedeği oluyordu.

MÜKEMMEL OKUL

Mekan avcıları, film için doğru okulu bulmak üzere Vancouver bölgesini dolaştılar. Sonunda bir okul, aslında üç okul, buldular. Tek bir kurgu okulu yaratmak için üç gerçek okulu kullanmak gerekti.

Shaughnessy İlkokulu'nun dışı ve basketbol sahası kullanıldı.

Van Tech İlkokulu'nun spor salonu tercih edildi.

Templeton İlköğretim Okulu koridorları, sınıfları ve oditoryumuyla filmde yer aldı.

Filmde üç okul, tek bir okul hissi verecek şekilde bir araya getirildi: Westmore Ortaokulu.

Westmore Ortaokulu'nun inandırıcı olması gerekiyordu; bu yüzden grafik tasarımcılar okulu hayata geçirmek için işe koyuldular. Sanatçılar işe okul için renkler, maskot ve logo yaratarak başladılar.

Sonra okul gazetesi gibi basılı malzemelerin tasarlanmasına geçtiler.

WESTMORE WARBLER

VOL.MMXI

THIRD EDITION

A GREAT DAY FOR WOMEN

PATTY FARRELL PINS MIKE WEST

The Westmore Middle School Hornets Wrestling team was more than proud to accept Patty Farrell into the ring, and in a suprising victory over Greg Heffley. The semi-final battle between Heffley and Farrell was again decided on the final match as Patty Farrell won a major decision. She was then named most outstanding wrestler in the finals. Patty Farrell pinned three opponents and won a 19-5 major decision over another to be named most outstanding wrestler. The Hornets travel to Hendersonville for the west regional of the

individual state tournament on Friday. Best match of the night was at 115 lbs when 110 lb 3rd ranked Jonathon Taylor stepped up one weight class to take on Mike West (6th ranked at 115 lbs). The match was tied at 17-17 at the end of regulation time. Aguilar took just 33 seconds of the first overtime period to score and win 19-17 in his third title bout.

The "National Middle School Spirit of Sport Award" was created by the school to recognize those individuals who exemplify the ideals of the spirit of sport that represent the core mission of

education-based athletics.

Green is one of the top wrestlers on the Hornets wrestling team, which comes as no surprise to the community. His father, who grew up in the same town, also was an outstanding wrestler for the school. Green's family was always there to support him, and rarely missed any of his matches.

On the way back from a tournament in February 2008, their vehicle was hit coming down a mountain by a semitrailer truck that had lost control. Green's parents and older brother Scott were in the vehicle at the time of

the accident. Green's mother was killed on impact, and his father died several weeks later in the hospital. His brother was bed ridden for several months, but is learning to wrestle again after the accident.

The most competitive finals came at 155 pounds, when Madeleine Grant of Westmore scored a last-second reversal to defeat Deana Kittson, of Westmore 8-7. Grant was fifth in the Junior Nationals last summer.

In an all-Westmore final at 126 pounds, Steve Sach defeated Pete Whyte, 8-2. Sach was fifth at the Junior Nationals last year

Not suprising Saul West defeated Jeff Bonny in a match-up promting Bonny to stomp, and demand a re-match. During the re-match title fight West pinned Bonny in the first three minutes of the match. Bonny said in a post match interview "I never saw it coming, I knew he was strong but thought with my mental wit I could defeat him" We will be looking forward to future match up's with the two wrestlers.

Saul West's life coach John Dillard was pleased with outcome, and commented lightly on West's performance.

Printed on 100% recycled paper

Grafik tasarımcılar bir okul yıllığı bile yarattılar. İşte kapak:

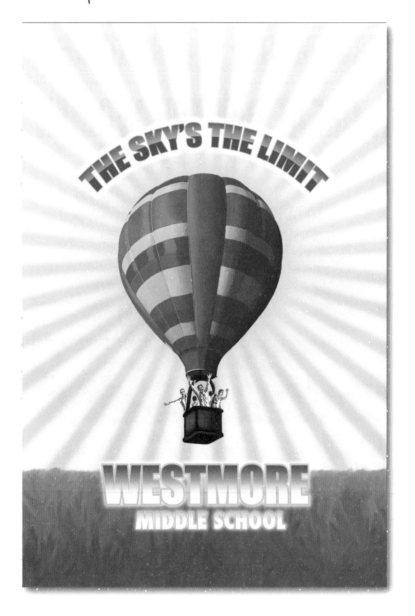

Bu da iç sayfalardan biri. Fotoğraflardaki çocukların çoğu filmin figüranları...

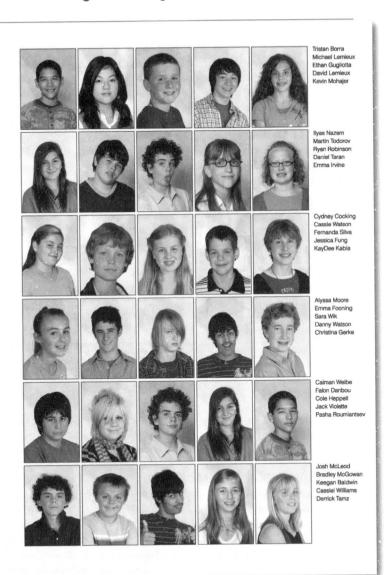

Tristan Borra
Michael Lemieux
Ethan Gugliotta
David Lemieux
Kevin Mohajer

Ilyas Nazem
Martin Todorov
Ryan Robinson
Daniel Taran
Emma Irvine

Cydney Cocking
Cassie Watson
Fernanda Silva
Jessica Fung
KayDee Kabia

Alyssa Moore
Emma Fooning
Sara Wik
Danny Watson
Christina Gerke

Caiman Weibe
Falon Danbou
Cole Heppell
Jack Violette
Pasha Roumiantsev

Josh McLeod
Bradley McGowan
Keegan Baldwin
Cassiel Williams
Derrick Tamz

Bunun ardından, set tasarımcıları Templeton İlkokulu'na gittiler ve orayı Westmore Ortaokulu'na dönüştürmek için hazırlıklara başladılar.

Hiçbir ayrıntı atlanmadı. Westmore'un hayali spor takımlarının başarılarını göstermek için sahte kupalar, koridorlara asmak için Westmore'un sözde eski öğrencilerinin fotoğrafları oluşturuldu.

Filmde yakından bakarsan, Preston Mudd'ın fotoğrafını bile görebilirsin. Ayın Sporcusu olarak duvarlardan birinde asılı.

Set tasarımcıları, Templeton'ın koridorlarını ve sınıflarını Westmore'un okul renklerine, yani mavi ve sarıya boyadılar.

Ama Westmore'un yeni boyanmış görünmesi inandırıcı olmazdı. Biraz yıpranmış görünmesi gerekiyordu. Bu yüzden boyacılar, eserlerini yaşlandırmak için hilelere başvurdular.

Uyguladıkları tekniklerden biri, yeni boyayla kapatılan fonun rengini karıştırmak ve soluk görünmesini sağlamaktı. Bunun etkisini, Shaughnessy İlkokulu'nun dev bir tuğla duvarının üzerine yapılan boyada görebiliriz.

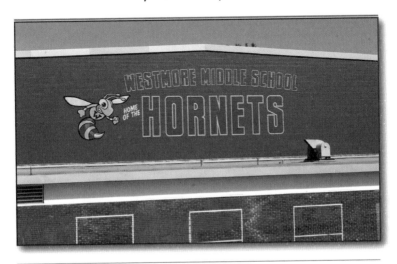

Elbette okulda duvarları süsleyen, öğrencilerin yaptığı sanatsal çalışmalar ve afişler olmadan olmazdı. İşte mantar panolarda ve koridorlarda görebileceğiniz malzemelerden bazıları:

Bunlar da Bryan Little'in, yani okulun "Çatlak Dawg" çizgi öyküsünün arkasındaki karikatüristinin yaratmış olması gereken afişler...

Grafik sanatçıları, karton, renkli kalemler ve pastel boya gibi, öğrencilerin kolayca bulabileceği malzemeler kullanmaya özen gösterdiler.

Belki hatırlarsın, Greg Heffley kitapta sigaraya karşı düzenlenen bir afiş yarışmasına katılmıştı.

Filmde bununla ilgili başka malzemeler de görebilirsin.

Ortaokul öğrencilerinin elinden çıkmış gibi görünen sanatsal çalışmalar yapmak için, grafik tasarımcılar yeteneklerini büyük ölçüde bastırmak zorunda kaldılar.

Film için, ekranda sadece bir an görünen bir sürü şey yaratıldı. İşte Rowley'in "Annecim, Olamaz!" çizgi öykülerinden bazıları.

Filmi izlerken bir an gözlerin kırparsan, bunları kaçırabilirsin.

Ayrıntılarla dolu setlerin örneklerinden biri Bay Winsky'nin ofisi idi. Bay Winsky güvenlikten sorumlu; Greg ve Rowley de film boyunca birkaç kez onun odasına gidiyorlar.

Sanat departmanı, Bay Winsky'nin güvenlik konusunu ne kadar ciddiye aldığını göstermek için onun odasına özel resimler ve küçük eşyalar yarattılar.

Bay Winsky'nin duvarlarında asılı malzemelere bakılırsa, kendisi en şaşaalı günlerini ortaokulda güvenlik görevlisiyken yaşamış.

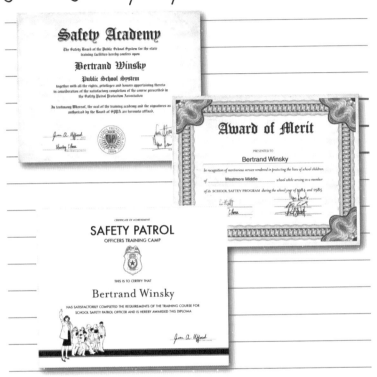

Set tasarımcıları ile dekoratörlerin inandırıcı bir ortam yaratmak amacıyla neler yapabildikleri konusunda sana bir fikir vermesi için şunu da söyleyelim: Bay Winsky'yi bir ergen olarak gösteren sahte gazete kupürleri bile yarattılar. Bu gazete haberleri için aktörün gençliğinde çekilmiş gerçek fotoğrafları kullanıldı.

Sanat departmanı, izleyicilerin film sırasında okuyamayacağını bile bile gazete haberleri için hikâyeler yazdı.

Winsky Inducted Into The Safety Patrol Hall of Fame

Bertrand Winsky

Bertrand Winsky, a safety patrol captain and fifth-grader from Westmore Middle School was inducted into the Safety Patrol Hall of Fame. Winsky, is the son of Sgt. 1st Class Markand Winsky. He is one of 10 hall of fame winners across the state

and was nominated for the award by Lori West, safety patrol advisor and paraeducator. "Winsky is a wonderful advocate and role model for Westmore students," said West. "He has boundless energy and a strong commitment to safety and community service. His organizational skills leadership and dedication make her very deserving of this honor." Winsky will be honored along with other hall of fame recipients at the May 1 baseball game. "I enjoy helping younger kids at my school and making sure they are safe," said Winsky. "Contributing my time and talents to help others is very important to me." In addition to his role as safety patrol captain, Winsky is a "wheelchair driver" and helps fellow students navigate the school's busy hallways and playground. Westmore has a unique population of special needs students because of its proximity to the Medical Center.

To qualify as a driver, Winsky had to take a written test and a driving test—just like a real driver's license. He is also an avid ice skater and practices every morning before he comes to school. "Winsky is so organized that she developed and presented a contingency plan in case she was ever late for her safety patrol duty—it's been two years and she's never missed a day, but that plan is in place," Westmore's safety patrol program emphasizes leadership and responsibility. Four teams of 12 students make up the safety patrol team and are recommended for the position by their teachers. According to West, there is a waiting list to join the patrol, because students know what an honor it is. Each year the safety patrol selects 10 outstanding school safety patrollers from schools throughout the state to receive the honor of being inducted into the School Safety Patrol Hall of Fame.

Bertrand Winsky interviewed about school safety

Westmore Middle School safety supervisor is interviewed by the shool safety council to discuss Winsky's exemplary conduct as the head of safety at the school.

Bunlar, filmi çekenlerin işleri konusunda ne kadar titizlendiklerine ilişkin epey fikir veriyordur herhalde.

Winsky Honored

Bertrand Winsky

On a sunny morning in September, Bertrand was on duty near the school's entrance with his Patrol Advisor helping students cross the busy road in front of the school. As students were crossing, a small white car suddenly sped around a corner and towards a crossing fifth-grade girl. Bertrand quickly pushed the girl out of the way before the car flew by and quickly turned into the driveway of the school without any regard for the School Safety Patrol or students crossing the street in front of him.ᶜ

After only two weeks at his School Safety Patrol post, Bertrand's quick thinking saved a kindergarten student. When the 5 year old's mother dropped him off for school, the kindergartener became extremely upset about her leaving. Not wanting to hold up traffic, the mother pulled forward and turned into a parking space. Bertrand spotted the crying young boy as he ran along the sidewalk following his mother's car. He ran after him and caught up to him right before he ran across the drive to his mother's parked car. Bertrand stopped the child from darting into the drive just as a truck was passing by. Several witnesses said the driver would likely have not seen the child nor had time to stop if the kindergartener had not been stopped by Winsky..

As North America's largest motoring and leisure travel organization, the safety program provides more than 51 million students with safety services. Since its founding in 1902, the not-for-profit, fully tax-paying safety patrol has been a leader and advocate for the safety and security of all travelers. safety patrol clubs can be visited on the Internet.

WINSKY NAMED SAFETY SUPERVISOR

On a sunny morning in September, Bertrand was on duty near the school's entrance with his Patrol Advisor helping students cross the busy road in front of the school. As students were crossing, a small white car suddenly sped around a corner and towards a crossing fifth-grade girl. Bertrand quickly pushed the girl out of the way before the car flew by and quickly turned into the driveway of the school without any regard for the School Safety Patrol or students crossing the street in front of him.

After only two weeks at his School Safety Patrol post, Bertrand's quick thinking saved a kindergarten student. When the 5 year old's mother dropped him off for school, the kindergartener became extremely upset about her leaving. Not wanting to hold up traffic, the mother pulled forward and turned into a parking space. Bertrand spotted the crying young boy as he ran along the sidewalk following his mother's car. He ran after him and caught up to him right before he ran across the drive to his mother's parked car. Bertrand stopped the child from darting into the drive just as a truck was passing by. Several witnesses said the driver would likely have not seen the child nor had been stopped by Winsky..

As North America's largest motoring and leisure travel organization, the safety program provides more than 51 million students with safety services. Since its founding in 1902, the not-for-profit, fully tax-paying safety patrol has been a leader and advocate for the safety and security of all travelers. safety patrol clubs can be visited on the Internet.

Set tasarımcılarının yaptığı ama izleyicilerin fark etmediği bir sürü iş var, çünkü bunlar geri planda kalıyor. Ancak bu kişiler sadece sinemaya gidenlerin keyif alması için uğraşmıyorlar, oyuncular için de çalışıyorlar. Eğer oyuncular kendilerine inandırıcı gelen bir ortamda rol yaparlarsa, çok daha iyi iş çıkarıyorlar.

İzleyicileri, filmdeki ortamların film setinin bir parçası değil de gerçek olduğuna inandırmak set tasarımcılarının işi. Ama ekranda gördüğün hemen her şey film için yaratıldı.

Örneğin Greg'in sınıfını alalım. Burada herhangi bir sınıfta görebileceğin bütün eşya ve malzemeler var. Ama raflardaki kitaplardan kalemlere kadar her şey bir malzeme deposundan alındı.

77

KAYIT!

Bütün parçalar yerli yerine oturduğunda,
sonunda çekimlere başlama vakti gelmişti.
Her çekim, kameranın karşısında klaketin
şaklamasıyla başlıyordu.

Sinemada ses ve film ayrı ayrı kaydediliyor. Bu
yüzden klakette görünen zaman, filmi çekenlerin
daha sonra ses ve filmi eşleştirmesine yardımcı
oluyor.

İlk çekim Greg ve Rowley'in sınıfında yapıldı.
Hatırlarsan, filmin izlendiği sırayla çekilmediğini
söylemiştik. Bu sahne de öykünün ortasındandı.
Greg okula geliyor ve dehşetle, kıyafetlerinin
Rowley ile aynı olduğunu görüyordu.

Aslında, oğlanların sınıfında gerçekleşen sahnelerin hepsi ilk gün çekildi. Çocuklar her sahne arasında kıyafet değiştirdiler.

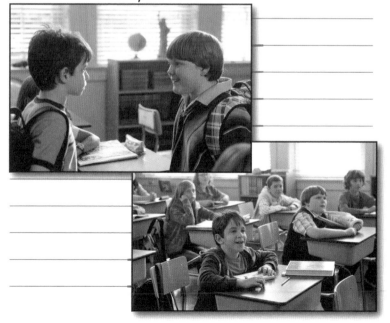

Oyuncuların çevresi bir sürü insanla, kamerayla, malzemeyle çevriliydi. Bu nedenle, dikkatlerini repliklerine verebilmeleri çok şaşırtıcıydı.

Çoğu kişi film çekmenin çok heyecan verici olduğunu düşünebilir ama işin gerçeği, bazen çok sıkıcı olabiliyor. Her çekim için kamera ve ışık sorumluları alet ve malzemelerini ayarlarlarken, uzun süre beklemek gerekiyor. Yeni bir sahne için kamera ve ışıkları doğru noktaya yerleştirmek neredeyse bir saat alıyor.

Sonunda çekim başladığında, aynı karenin defalarca tekrarlanması gerekiyor.

Bu yüzden, bir oyuncu komik bir repliği söylerken bile, on dördüncü kerede, kimse artık bunu komik bulmuyor.

Yönetmenin bu kadar çok tekrar yaptırmasının nedeni, daha sonra filmin montajını yaparken elinde olabildiğince çok seçenek olmasını istemesi. Tek bir sahne birkaç kez çekildikten sonra bile, yönetmen aynı sahneyi diğer karakterlerin tepkilerini de yakalamak için farklı bir açıdan çekiyor.

MÜDAHALE EDİLMEYEN BİR KIYMIĞIN YOL AÇTIĞI TEHLİKELİ BİR ENFEKSİYON BU!

Yani film çekmek çok uzun zaman alıyor. Hatta, bütün bir GÜN yapılan çekimlerin sonunda, bunların sadece iki DAKİKALIK bir bölümü filmin son halinde yer alıyor.

Çekimlere ara verildiğinde, saç ve makyaj uzmanları devreye girip oyuncuları bir sonraki çekime hazırlıyorlar.

Oyuncuların her tekrarda bire bir aynı
görünmeleri gerekiyor. Çekimler arasında çok
zaman geçiyor, oyuncuların saçları ve makyajları
bozulabiliyor. Oyuncunun bir önceki karede
göründüğü gibi görünmesi çok önemli, yoksa
izleyiciler farkı fark ederler.

Saç ve makyaj uzmanlarının, oyuncuları yakından takip etmek için uyguladıkları yöntemlerden biri, her tekrardan sonra onların dijital fotoğraflarını çekmek. Böylece herkesin gerektiğinde dönüp bakabileceği kayıtlar oluyor.

Bazen tekrarlar arasında GERÇEKTEN uzun bir zaman oluyor. Oyuncunun bir sahnenin bir kısmını bugün, bir kısmını iki ay sonra çekmesi gerekebiliyor. İşte o zaman "süreklilik" fotoğrafları çok işe yarıyor.

Örneğin ilk dış çekimlerden birinde, Robert'in burnuna güneş kremi sürülmüştü. Aynı sahnenin bir bölümü bir ay sonra çekildi; saç ve makyaj uzmanları Robert'in burnunun daha öncekiyle aynı görünmesi için fotoğraflardan yararlandılar.

Saç gerçekten zor bir mesele çünkü uzuyor. Saç uzmanı, film çekimleri sırasında işlerin kontrolden çıkmadığından emin olmak zorunda.

Oyuncular, film boyunca aynı uzunluğu korumak için saçlarını sık sık kestirmek zorundalar.

Filmi çekenler, en çok Zach'ın saçına nasıl şekil verileceğine karar vermekte zorlandılar. Meseleyi tartışmak için uzun toplantılar yapıldı. Herkesin farklı bir fikri vardı.

Bir sürü denemeden ve tonlarca saç jölesinden sonra, Zach'ın "Saftirik saçları" yaratıldı ve sorun çözüldü.

Saç ve makyaj uzmanları yalnızca oyuncuların iyi görünmeleri için çalışmıyorlar. Bazen de işleri onların KÖTÜ görünmelerini sağlamak. Bir keresinde, makyaj uzmanı sivilceleri olmayan bir oyuncunun yüzüne sahte sivilceler yapmak zorunda kaldı.

Bir keresinde de yine saç uzmanı, bir gencin kısa olan saçlarını aslan başı yapmak için yöntem bulmak zorunda kaldı.

HAYATTAN BİR GÜN

Bir oyuncunun gününün her dakikası önceden programlanıyor. Her sabah oyunculara gün boyunca neler yapacaklarını gösteren birer çizelge veriliyor.

TGF Vancouver Productions LTD - DWK

Diary of a Wimpy Kid

CREW CALL: 7:30am

DATE: Tues Sept 22, 2009

Producers: Nina Jacobson, Brad Simpson
Exec. Producer: Jeff Kinney
Co-Producer: Ethan Smith
Director: Thor Freudenthal
Production Manager: Warren Carr
1st AD: Pete Whyte

Breakfast Call:	6:30a	
Shooting Call:	9:00a	
Lunch Call:	1:30p	
Day:	28	of 45
Sunrise:	6:49a	Sunset: 7:09p
WEATHER:	Sunny 23c	

DIRECTOR'S PICK UP: 6:35am   EPK ON SET TODAY (see below)

ɕ◌ ALL VISITORS TO SET MUST BE PRE-APPROVED BY THE PRODUCTION MANAGER ◌ɕ
ɕ◌ NO PHOTOGRAPHY ALLOWED ON SET – EXCEPT THOSE CREW MEMBERS REQUIRING CONTINUITY SHOTS ◌ɕ

Sc.	SET DESCRIPTION	D/N	Pgs	CAST	BG	LOCATION
151pt	INT. SCHOOL AUDITORIUM / STAGE Trees are on, Greg sees his family, Collin, Rowley & Rodrick	N22	7/8	1,8,11,12,36,43,46, 59, 63, 65		Templeton School 727 Templeton Drive Vancouver, BC
152pt	INT. SCHOOL AUDITORIUM / STAGE Trees have stopped singing, Patty is yelling, Apple Fight!	N22	6/8	1,8,11,12,36,43,46, 59, 63, 65, 100,201,211		(off Nanaimo & Adanac) **CREW PARK** Hastings Community
153	INT. SCHOOL FOYER Susan & Frank meet up with Greg after the play	N22	3/8	1, 3, 4, 5, 25		Centre at 3000 Block East Pender Street SHUTTLE TO...
	STILLS: Most Talented Yearbook Photo Additional 'After' Yearbook Photos					Catering & Work Trucks are on the School Lot

Total Page Count   2 0/8

ɕ◌ **NO FORCED CALLS WITHOUT PRODUCTION MANAGER APPROVAL** ◌ɕ

#	CAST		CHARACTER	status	P/UP	HMW	SET	Notes:
1	Zach Gordon	K	Greg Heffley	W	8:00a	8:30a	9:00a	
2	Robert Capron	K	Rowley Jefferson	H	10:00a	-	-	← Tutoring Only at Set
3	Rachael Harris		Susan Heffley	PW	11:00a	11:30a	3:00p	← EPK interview at 1:00pm
4	Steve Zahn		Frank Heffley	PW	11:00a	11:30a	3:00p	← EPK interview at 12:30pm
5	Connor, Owen Fielding	K	Manny	SW	-	2:30p	3:00p	
6	Devon Bostick		Rodrick	T/F	travel	memo	#87	← See note below for 2nd p/up
8	Karan Brar	K	Chirag Gupta	W	10:00a	10:30a	11:00a	
11	Laine MacNeil	K	Patty Farrell	W	-	10:30a	11:00a	**NOTE TO ALL**
12	Jake D. Smith	K	Archie Kelly	W	-	8:30a	9:00a	
25	Shane Briscoe		Funny Dad	SW	-	1:00p	3:00p	PLEASE USE
36	Adom Osei	K	Marty Porter	W	-	8:30a	9:00a	CREW PARK.
43	Belita Moreno		Mrs. Norton	W	7:00a	7:30a	9:00a	
46	Ryan Grantham	K	Rodney James	W	-	8:30a	9:00a	DO NOT PARK AT
59	Jay Sidhu	K	Scarecrow / Singer 2	W	-	9:30a	10:00a	OR AROUND
63	Haris Cash	K	Tin Man / Singer 6	W	-	9:30a	10:00a	TEMPLETON
65	Mariah Crupo	K	Good Witch / Singer 7	W	-	9:30a	10:00a	SCHOOL.
100	Dave Hospes		Stunt Coordinator	W	-	-	7:30a	
201	Matt Phillips		Greg Stunt Double	SWF	-	9:00a	10:30a	
211	Marny Eng		Patty Farrell Stunt Double	SWF	-	9:00a	10:30a	

STAND INS:

Utility 'Child' Stand In – Kevin Sloan	Call Time:	7:30a
Utility 'Child' Stand In – Bruce Creighton	Call Time:	7:30a
Utility 'Adult Female' Stand In – Bita Valentine	Call Time:	7:30a
Utility 'Adult Male' Stand In – (name tba)	Call Time:	12:30p

Please check with costumes daily regarding costume colour matches for characters playing

BACKGROUND PERFORMERS	CALL	SET	Notes:
ALL AUDIENCE BG TO COME WITH HAIR/MAKE UP/ WARDROBE APPRORIATE FOR A MIDDLE SCHOOL PLAY			
Audience Adults x 50, Music Teacher x 1, Audience Teens x 15	9:00a	10:00a	Park In Crew Park, Shuttle to
Continuity Bad Witch x 1, Lion x 1, Stage Hands x 3, DJ/Stage Manager x 1	9:30a	10:00a	Holding Tents at Templeton
Photo Doubles: #1. Greg, #12. Archie, #36. Marty, #46. Rodney	12:00	tba	
76 BG/Dbls + 25 Guardians = 101 Total			

DAILY DEPARTMENTAL NOTES

SAFETY MEETING and YOUNG & NEW WORKER ORIENTATION HELD ON SET AT CREW CALL

WEEKEND ACTIVITIES
Mon Sept 21 – Travel In: Jeff Kinney, Rachael Harris, Steve Zahn
    Costume Fitting: 3:00pm - Rachael Harris w/ Monique at the hotel
    Manny Meet'n Greet: 4:30pm – Rachael Harris with Owen & Connor Fielding at the hotel
    Tutoring: Zach Gordon / as per Natalie & Linda Gordon

Film Break required at lunch.
Dailies at lunch.

SHOW & TELL: Rowley's Clothes
(for Sc. 66 on Thursday)

EPK/MEDIA ON SET TODAY: Beth Goodwin, Troy Gross (Cartoon Network), Jason Wells +5 Execs (Abrams Publicity)
Josh Berger, Mateo di Iorio, Millar Montgomery for Interviews with Rachael Harris & Steve Zahn prior to shooting, Robert Capron after his school
Mike George (Fox) Marketing Shoot in School Room 223 for Cheese Touch Interactive Video with Robert Capron & Devon Bostick

LOCATIONS: Parking spot at the school needed for Jane Fielding and the 'Manny' twins, 4 Mirrors required in Extras Holding

Yasalar çocukların gün içinde yalnızca yedi buçuk saat çalışmalarına izin veriyor. Bu yüzden onları kamera ve ışık ekipleri bir çekim için hazırlık yaparken boş oturtmak mantıklı değil.

Oyuncuların setin hazırlanmasını beklemelerine neden olmadan ilerlemenin çeşitli yolları var. Bunlardan biri yetişkin dublörler ya da yedekler kullanmak. Dublörler, çocukların yerine geçiyor, böylece kamera ve ışık sorumluları gerekli ayarlamaları yapabiliyorlar. Sonra her şey hazır olduğunda, çocuklar çağrılıyor. Dublörler, yerine geçtikleri çocuklarla aynı ölçülerde oluyorlar genellikle.

Yedi buçuk saatlik zaman sınırını aşmamanın bir başka yolu ise yine çocuk olan yedekler kullanmak.

Diyelim ki Zach'ın Robert ile bir sahnesi var ve iki çocuk birbirleriyle konuşuyorlar. Robert'ın yüzü kamerada görünürken, Zach için yedek oyuncu kullanılabilir çünkü yalnızca kafasının arkası görünmektedir.

Bu arada Zach karavanında güzel bir uyku çekebilir. Yedek oyuncu asıl oyuncuya arkadan benzediği sürece, izleyiciler bunu fark etmeyecektir.

Çocukların aynı zamanda haftada en az on beş saat okula gitmesi gerekmektedir. Oyuncular sırf bir filmde yer aldıkları için sınıfı öyle havadan geçemezler.

"Saftirik Greg'in Günlüğü"ndeki oyuncuların sınıf arkadaşlarından geri kalmamaları için bir karavanda özel bir okul oluşturuldu. Bir set öğretmeni, eğitimlerini aksatmamaları için her çocuğa özel dersler verdi.

İşin ilginç tarafı, Robert ve Zach'in, filmde ortaokula başlayan karakterleri canlandırdıkları için gerçek hayatta ortaokulun ilk günlerini kaçırmalarıydı.

Çocuklar genellikle dersleri karavandaki sınıfta yapıyorlardı. Ama hava güzel olduğunda, kendilerine çalışmak için dışarıda rahat bir yer buldukları da oluyordu.

Okulda çok uzun saatler geçirmiyorlar, çekim aralarında fırsat bulduklarında ders çalışıyorlardı.

ACELE EDERSEK, ARAYA YİRMİ DAKİKA MATEMATİK SIKIŞTIRABİLİRİZ!

Normal derslerin dışında, çocuklar tıpkı kendi okullarındaki sınıf arkadaşları gibi saha gezileri ve beden eğitimi dersleri de yapıyorlardı.

Peki oyuncular sette rol yapmadıkları ya da ders çalışmadıkları zamanlar nerelere gidiyorlar? "Sirke". Sirk, her oyuncunun yalnız kalıp kafasını dinleyebildiği büyük karavanlar grubu.

Karavanlar, tekerlekli odalar gibi. Oyuncuların karavanlara yerleştirilmesinin nedeni, ekibin yeni bir çekim mekanına geçmesi gerektiğinde, karavanların da onlarla birlikte hareket edebilmesi.

Karavanların içi çok güzel. Birçoğunda güçlü bir ses sitemi olan plazma televizyonlar, çalışma masası, buzdolabı, banyo ve büyük bir deri kanepe var.

İşte Zach Gordon'un kendi karavanına ilk girişi...

Oyuncunun karavanının büyüklüğü genellikle filmdeki rolünün büyüklüğüne bağlı. Eğer başrollerden birini oynuyorsa, büyük bir karavana sahip olma şansı da yüksek.

Eğer oyuncunun filmde küçük bir rolü varsa, eh, kaldığı yerin oda rahatlığında olmaması mümkün.

Karavanlar yalnızca oyuncular için değil.
Yapımcıların, yönetmenin, film için çalışan daha
birçok kişinin de karavanları var.

Üstelik, gardırop departmanı, depo sorumlusu,
makyaj ekibinin işlerini yapabilmeleri için
karavanlarda "ofisleri" var.

Oyuncular gün ortasında öğle yemeği için mola veriyorlar. Yemek karavanı, tekerlekli bir restoran aslında.

Yemekleri hazırlayan kişiler, her şeyi taze tutmak için mönüyü her gün değiştiriyorlar. Ama bu ekibin onlara zor anlar yaşatmasını engellemiyor.

Bütün oyuncular birlikte yemek yiyorlar, bu bazen garip olabiliyor.

Öğle yemeğinin dışında, "acil servis" denen bir yerde her zaman atıştırmalık yiyecekler ve içecekler bulunuyor. Oyuncular burada sıcak çikolata, fıstık, soğuk sandviç, kraker gibi şeyler bulabiliyorlar.

"Saftirik Greg'in Günlüğü"nün acil servis kısmında neredeyse hiç şeker yoktu çünkü çocuklar dikkatlerini verebildiklerinde daha iyi çalışabiliyorlardı.

O günkü işi biten oyuncular otellerine dönüyorlar. Bu filmin oyuncuları, Vancouver'da, kendilerini evlerinde hissetmelerini sağlayacak büyük suitlerde kalıyorlardı. Suitlerde iki yatak odası, bir aile odası, bir yemek odası ve bir mutfak vardı.

Zach'in boş zamanlarında yapmayı en çok sevdiği şeyler annesiyle birlikte olmak ve bilgisayar oyunları oynamaktı. Bazen ikisini aynı anda yapıyordu.

Robert ve babası, James Bond serisinin hemen her filmini izlediler.

Bazen oyuncular otelin havuzunda birlikte zaman geçiriyor, eğleniyor ve çocuk olmanın keyfini çıkarıyorlardı.

Otelde yaşamanın en harika tarafı yatağını ya da ortalığı toplamak zorunda olmamak. Ama üç ay krallar gibi yaşadıktan sonra eve dönen çocukların bu duruma uyum sağlamaları biraz zor oldu.

Çocuklara yalnızca anne babaları göz kulak olmuyor. Sette herkes kocaman bir aile gibi davranıyor ve çekimler sırasında çocuklara destek oluyor.

Çocuklar için aynı zamanda, sinemanın kimi zaman zorlu olabilen ortamında onlara yol göstermek üzere oyuncu koçları tahsis ediliyor.

Çocuk oyunculara repliklerini ezberletmek oyuncu koçlarının işi; ama onlar bundan çok daha fazlasını yapıyorlar. Koçlar, çocukların enerji seviyelerini korumak için yeterli beslenip beslenmediklerinden emin oluyorlar. Aynı zamanda işle eğlenceyi dengelemeye çalışıyorlar.

Oyuncu koçları günün başından sonuna dek çocuklarla birlikteler. "Saftirik Greg'in Günlüğü" sıraya göre çekilmediği için, çocuklara bundan bir önceki sahnede neler olduğunun hatırlatılması önemliydi. Oyuncu koçu, sabah otelden sete doğru yapılan araba yolculuğu boyunca sahnelerin üzerinden geçiyor.

"Saftirik Greg'in Günlüğü"nün oyuncu koçları, televizyon ve sinema alanında son derece deneyimli oyunculardı. Bu yüzden tüm süreç boyunca çocuklara yol göstermeye hazırdılar.

Oyuncu koçlarından biri, filmde drama öğretmeni Bayan Norton olarak rol aldı.

FİGÜRANLAR

Artık başrol oyuncularının sıradan bir gününün nasıl geçtiğini biliyorsun. Peki ya bir sahnede arkadan geçerken görünen insanlar?

Bu kişilere "figüran" denir ve görevleri, bir sahneyi gerçekçi görünmesi için doldurmaktır. Figüranların replikleri yoktur ama yaptıkları iş çok önemlidir.

Figüranlar, film işine girmek isteyen ya da sadece yapacak eğlenceli veya ilginç bir şeyler arayan kişilerdir. Filmin bir parçası olurlar ve bunun karşılığında da para alırlar.

Ancak figüran olmak zor iştir. Saatler çok uzun olabilir, çekimler arasında çok beklemek gerekebilir. Figüranların diğer oyuncular gibi karavanları yoktur. Boş vakitlerini geçirebilecekleri uygun yerler bulmaları gerekir.

Ancak ekranda kendilerini gördükleri o an var ya... işte o an, her şeye değer.

SAYFADAN EKRANA

İşte kitapta yer alıp filme uyarlanan çizimlerden bazıları...

Karikatür, bir şeyi en basit parçalarına indirgemektir. Oysa filmde yönetmen çok daha geniş bir tuval üzerinde çalışır ve bunu bir sürü ayrıntıyla doldurmak zorundadır.

105

KAVGA!

Filmin en karmaşık sahnelerinden biri, Greg ve Rowley'in kavgaya tutuştukları ve çocukların alanda toplandıkları sahneydi.

Yönetmen sahnenin storyboard'unu şöyle hazırladı:

Sahnede böyle canlandırıldı:

GERÇEK BİR PRODÜKSİYON

Kitap yazmakla film çekmek arasındaki farkı gerçekten ortaya koyan sahnelerden biri, okul gösterisiydi. Kitapta bir gösteri yaratmak için yapmanız gereken şey, birkaç karalama yapmak ve sahneyi anlatacak bir ya da iki paragraf yazmak. Kolay değil mi? Filmde bir okul gösterisi yaratmak ise bambaşka bir mesele.

Filmde "Oz Büyücüsü"nü sahnelemek için, gardırop departmanının her çocuk için bir kostüm yaratması, ışıkların ayarlanması, setlerin tasarlanması ve boyanması, bir koreografın oyuncuların nasıl ve nerede hareket edeceğini planlaması gerekti.

Başka bir deyişle, GERÇEK bir oyunu sahneye koymak için yapılan her şey, filmdeki okul gösterisi için de yapıldı.

Elbette oyun FAZLA profesyonel görünmemeliydi, yoksa çocuklar sahneliyormuş gibi gelmezdi. Bu nedenle her şeyde ortaokul hissi olmalıydı. Örneğin, üç ağacın kostümlerinin gölgeleri strafordan, dallar da havuz barlarından yapıldı.

Diğer kostümlerin bazıları daha karmaşıktı, bunları gardırop departmanı tasarlayıp hazırladı.

Okul gösterisindeki kıyafetlerin, "Oz Büyücüsü" filmindekilerden farklı görünmesi gerekiyordu. Bu nedenle gardırop departmanı özgün kostümler hazırlamak için çok uğraştı.

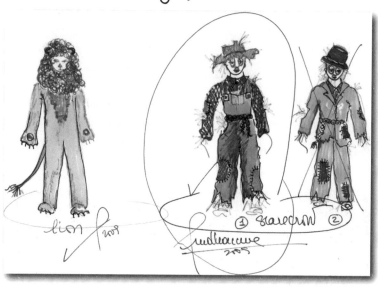

Kostüm tasarımcıları "Oz Büyücüsü"nün yazıldığı dönemlerde giyilen kumaş türlerini araştırdılar ve gösteride bunları kullandılar.

Sonunda oyuncular kostümlerini prova ettiler.

Kitapta Greg'in "Biz Üç Ağaç" adında bir şarkı söylemesi gerekiyor. Bir besteci şarkıyı besteledi. Bunu filmde dinleyebilirsiniz.

♫ BİZ ÜÇ AĞAÇ ŞURADAN ♫

Sanat departmanının ikna edici bir okul gösterisi yaratmak için neler yaptığı konusunda sana bir fikir vermesi için şunu da ekleyelim: Oyun broşürleri tasarlayıp bunları izleyicilere dağıttılar.

İzleyicilerden söz etmişken, oditoryumu doldurmak için birkaç yüz figüran gerekti.

Filmin en "kalabalık" sahnesi buydu ve çekimleri üç gün sürdü.

Çekimi en zorlu sahnelerden biri de okul gösterisinin ortasında yer alıyordu. Kitapta, perdeler ilk açıldığında Manny bağırıyor.

Bunu kitapta yapmak kolay ama hayata geçirmek o kadar da kolay değilmiş.

Okul gösterisi, Manny'yi canlandıran ikizlerin ilk sahnesiydi. Onlar da "rol yapmaya" henüz alışmamışlardı.

Aslında kendilerini birdenbire yabancılarla ve kendilerine yöneltilmiş ışıklarla dolu bir oditoryumda yeni bir "ailenin" parçası olarak bulunca ne düşüneceklerini bilemediler sanki.

Neyse ki ekiptekiler ikizlerin gönlünü kazanmanın sırrını biliyordu: şeker.

Sahne boyunca ikizler sırayla Manny'yi canlandırdılar. Yapımcılardan biri çocukların önünde durdu ve Owen ya da Connor'ın kendisini taklit etmesini umarak tekrar tekrar "Adi!" diye bağırdı.

Owen bunu yaptı ve arka arkaya on kez mükemmel bir şekilde "Adi!" diye bağırdı. Bunun üzerine ikizler bir avuç şeker ile ödüllendirildi.

Zaman zaman sinemada mesele filmde büyük bir patlama ya da dramatik bir an yakalamaktır. "Saftirik Greg'in Günlüğü"nde doruk noktası, üç yaşındaki oyuncunun repliğini söylemesi sırasında yaşandı.

HEY, KİTAPTA YOKTU BU!

Filmin diğer önemli sahnelerinden biri, Anne-Oğul Çiftler Dansı kitapta yoktu. Öyleyse film için bu sahne neden yazıldı?

Kimi zaman bir öykünün anlatılmasına yardımcı olmak için ekstra duygusal ateş gücü yaratmanız gerekir. Kitapta, Greg ve Rowley tartışıyorlar ve yavaş yavaş yumruklaşma noktasına geliyorlar.

Bu, filmde de oluyor. Ancak yazarlar oğlanları bu noktaya getirmek için ekstra kıvılcıma ihtiyaç olduğunu hissettiler. Bu nedenle, bardağın nasıl taşma noktasına geldiğini göstermek için Anne-Oğul Çiftler Dansı'nı yarattılar.

Greg ve Rowley dansta karşılaştıklarında, bir süredir küslerdi. Rowley, en iyi arkadaşı olarak başka birini bulmuştu: Collin.

Greg, Rowley'i gördüğünde, onunla yeniden iletişim kurmak istiyor ama olmuyor.

Oğlanların birçoğu gibi, Greg de orada olmak istemiyor. Ama Rowley ayrı bir hikâye. Annesiyle birlikte dansa geldiği için çok heyecanlı. Hareketlerini evde defalarca prova etmişler.

Bu nedenle, kendi şarkıları çaldığında hemen piste fırlıyorlar.

Greg, eski arkadaşının kendini rezil etiğini görünce çok mutlu oluyor. Ama sonra, Greg'i şoke eden bir şey oluyor. Herkes dansa katılıyor ve Rowley ile annesi gecenin yıldızları oluveriyorlar.

Greg bütün bu sahneyi dehşet içinde izliyor. Ertesi gün Greg ve Rowley karşı karşıya geldiklerinde, Greg kavga etmek için yanıp tutuşuyor.

Anne-Oğul Çiftler Dansı'nı yaratmak, neredeyse okul gösterisini sahnelemek kadar zordu. Set tasarımcıları spor salonunu balonlarla, afişlerle ve disko topuyla süslemek zorunda kaldılar.

Anne-Oğul çiftlerini canlandırmak için yaklaşık iki yüz figüran getirildi. Sahnede gördüğünüz kişilerin çoğu gerçek hayatta da anne-oğul. Bu nedenle sahnenin gerçekten farkı yoktu sanki.

Rowley'in annesini oynayan kadın aslında oyuncu değil, gerçek hayatta Robert'ın annesi. İkisi, bir hafta boyunca profesyonel bir koreograf eşliğinde dans hareketlerini çalıştılar.

Çok basit görünen bir şeyin aslında ne kadar karmaşık olabileceği konusunda sana bir fikir vermesi için, Collin'in Rowley'e dondurma külahı uzattığı sahneyi ele alalım. Filmde şöyle görünüyor:

Pek büyük bir mesele değil, değil mi? Ama, ister inan ister inanma, filmin en zorlu sahnelerinden biri oldu.

Bir kere, dansın çekildiği spor salonu çok sıcaktı. Bu nedenle dondurma, oyuncuların durduğu yerin biraz ilerisinde bir dondurucuda saklandı. Yönetmen, "Kayıt!" diye bağırdığında, bir görevli olabildiğince hızlı bir şekilde iki dondurmayı getirmeye koşuyordu.

Elinde külahlarla oyuncuların yanına geliyor, tam Collin'in sahneye girdiği anda dondurmaları onlara veriyordu.

Oyuncular dondurmalarını birer kez yalayıp külahları görevliye geri veriyorlardı. Görevli de mutfağa gidip dondurmaları çöpe atıyordu.

Bu, yarım saat sürdü. Sahne tamamlandığında, mutfaktaki çöp kutusu bir kere yalanıp atılmış dondurmalarla doluydu.

Bu ancak bir film setinde görebileceğiniz bir şeydir.

ŞAHANE BİR VİDEO

Çoğu zaman, film ekibindekiler en iyi işi çıkarmak için büyük bir çaba sarf ederler. Ancak arada bir biraz eğlenmek ister ve standartlarını düşürürler.

"Saftirik Greg'in Günlüğü" filminde, sınıfta izletilen "Ben Olmak Harika" adında bir video var. Okulda her yıl izletilen eski moda videolardan biri bu.

Film ekibindekiler, otuz yıl önce çekilmiş gibi görünen, modası geçmiş, silik bir video çekerken çok eğlendiler. Videodaki oyuncuların 1980'lerin saç modelleri ve giysilerine sahip olmaları gerekiyordu.

Videoda bir genç, eğer havalı davranırsa insanların ondan hoşlanacağını öğreniyor. Bunun üzerine kütüphanede break-dance yapıyor, herkesi etkiliyor ve yeni arkadaşlar ediniyor.

Bütün sahne, sanki uzun bir süre önce çekilmiş gibi, bir video kamerayla kaydedildi.

DUBLÖR

"Saftirik Greg'in Günlüğü"nde müthiş aksiyon sahneleri olmadığından, filmde özel efektlerin pek rol oynamadığını düşünebilirsin. Oysa bol bol kullanıldı.

Özel efekt, film çekenlerin bir ilüzyon yaratmak için kullandıkları her türlü görsel numaradır. En sık kullanılan özel efektlerden biri, oyuncunun yerine dublörünü geçirmektir.

Tehlikeli olabilecek sahneler çekerken, genellikle oyuncunun yerine bu sahneyi yaralanmadan atlatabilecek deneyimli dublörünü geçirirler. Dublörün ikna edici olması için, yerine geçtiği oyuncuyla aşağı yukarı aynı ölçülerde olması gerekir.

Genellikle dublör kullanıldığında, çekim izleyicilerin bunu anlayamayacağı bir uzaklıktan yapılır. Okul gösterisinin sonunda, Patty Farrell'in Greg'e sataştığı yerde, iki dublör kullanıldı. Biri Patty'nin, diğeri de Greg'in yerine.

Kimi zaman, yakın çekim yapılan sahnelerde oyuncular dublör kullanamazlar ve kendileri oynamak zorunda kalırlar. Fregley ve Greg arasındaki güreş sahnesi için, oyuncular bir profesyonelden ders aldılar.

Bazı sahneler karmaşıktır ve bol bol planlama gerektirir. Ciddi çalışma gerektiren sahnelerden biri de, Rowley'nin Greg'in futbol topu yüzünden bisikletinden düştüğü sahneydi.

Filmde, Rowley tepeden aşağı hızla inerken Rowley ona futbol topu fırlatıyor. Ancak sahne çekilirken, Zach hiçbir şey atmadı, atarmış gibi yaptı sadece.

Futbol topu daha sonra görsel efektle eklendi.

Futbol topu bisiklet ile birleştiğinde, Rowley uçuşa geçiyor. Film çekilirken, Robert'in yerine yetişkin bir dublör geçti. Bisikletin ön tekerleği bir kabloyla sabit duran bir nesneye bağlandı. Kablo gerildiğinde, dublör uçuyordu.

Dublör, kıyafetinin altına koruyucu bir giysi giymişti. Ayrıca, eğitimli bir profesyonel olduğundan, yaralanmadan nasıl düşmesi gerektiğini biliyordu.

Dublörün arkasındaki dev mavi fonu fark etmişsindir. Fona "mavi ekran" adı verilir ve bu, sinemacıların numaralar yapmak için kullandıkları malzemelerden biridir. Şöyle çalışır: Oyuncu, dev mavi örtünün önünde performansını sergilerken kaydedilir.

"Arka plan plaka" denen bir başka çekim de ayrıca yapılır.

Sonra iki çekim bir "kompozit"te bir araya getirilir. Mavi renk kaldırılır ve altından arka plan plaka görülür.

Bu teknik, oyuncuları belirli bir mekanda ya da yılın belirli bir zamanında çekmek uygun olmadığında kullanılır. "Saftirik Greg'in Günlüğü" yazın ve sonbahar başında çekildiği için, ekiptekiler kendi kış sahnelerini oluşturmak zorunda kaldılar.

Heffley evinin bu görüntüsü, gerçek bir fotoğrafla bilgisayar sanatını karıştırarak yaratıldı.

Greg'in kendini zengin bir yetişkin olarak gördüğü hayallerinden birini çekmek için de mavi ekran kullanıldı. Oyuncuları gerçek bir malikaneye götürmektense mavi ekranın önünde çekmek daha kolaydı.

Bazen, çekilmiş olan bir şeyi yeniden yaratmak için de mavi ekran kullanılır. Filmde, Chirag'ın Greg ve Rowley'e Peynir ile ilgili hikâyeyi anlattığı bir sahne var. Orijinal sahnenin çekilmesinden birkaç hafta sonra, yönetmen birkaç çekim daha yapmak istediğine karar verdi. Ama orijinal sahnedeki okul ve figüranlar artık yoktu.

Bunun üzerine yönetmen bir mavi ekran kullandı ve ön plandaki oyuncuları çekti. Sonra yeni ön plan görüntüsünü eski arka plan görüntüsüyle birleştirdi Eğer bu söylenmeseydi, asla fark etmezdin.

Bazen sahte bir fonun önünde film çekmek, izleyicileri sahnenin gerçek olduğuna ikna etmeye yetmez. Eğer kar sahnesi varsa, ön planda da kar olmalıdır. Bu nedenle film ekibindekiler eylül ayında kar yağdırmak zorunda kaldılar.

Bunu şöyle yaptılar: Önce yeşil çimleri örtmek için yere plastikten kalın, beyaz bir örtü serdiler. Sonra bir "kar deposu" ve sahte karları yere, ağaçların ve çalılara uçurmak için dev bir hortum kullandılar.

Sahte kar, kâğıttan yapılmıştı. Neredeyse tıpatıp gerçek kar gibi görünüyordu. Hatta istersen kar melekleri bile yapabilirdin.

Sahte karın en kötü tarafı, sonra temizlenmek zorunda olmasıydı. Kimsenin sokağına girip yerde dünyanın beyaz kâğıdını bırakarak çıkamazsın.

Bütün günü dışarıda, karda geçirmiş gibi görünmeleri için, oğlanların kulakları, burunları ve yanakları allık sürülerek kızartıldı.

Film için yaratılması gereken tek hava durumu kar değildi. Sahnelerden birinde bardaktan boşanırcasına yağmur yağması gerekiyordu. Kâğıtları kırparak sahte yağmur yapamazsın.

Belki hatırlarsın, kitapta bir yerde Greg anaokulu öğrencilerini ucunda bir kurtcuk olan sopayla kovalıyor.

Yazarlar, filmde Greg'in çocukları kurtcukla kovalamaktan daha kötü bir şey yapması gerektiğine karar verdiler. Bu yüzden Greg'in anaokulu çocuklarıyla birlikte eve doğru yürüdüğü ve Cadılar Bayramı'nda Rowley ile onu kovalayan oğlanları gördüğünü sandığı bir sahne yarattılar. Greg, anaokulu öğrencileriyle birlikte bir inşaata saklanıyor.

Ve bütün bunlar fırtına varken oluyor.

Film ekibindekiler, dev bir vinç ayarladılar ve güneşli günde yağmur yaratmak için bir yangın hortumu kullandılar.

Bütün kamera, alet ve malzemelerin yağmurdan plastikle korunması gerekiyordu. Çocukların da korunması gerekti. Hepsi, üşümemek için kıyafetlerinin altına balık adam kıyafeti gibi şeyler giydiler.

Film ekibindekilerin numaralara başvurduğu tek konu hava durumu değildi. Günün saatleriyle bile oynayabiliyorlardı.

Dış çekimler zorlu olabiliyor çünkü güneş batıyor, ışık değişiyor. Ama ışık departmanının elinde her türden filtre, ampul, reflektör vardı. Bunlar pırıl pırıl, güneşli bir gün yaratılmasını sağlayabiliyordu. O gün hiç de öyle olmasa bile. İstenen her türlü ışığı oluşturabiliyorlardı.

Bazen günün saatlerinin çok daha belirgin bir şekilde değiştirilmesi gerekebiliyordu. Ekiptekiler gündüzü geceye ya da geceyi gündüze çevirebiliyorlardı.

Cadılar Bayramı gecesinin günün ortasında çekilmesi gerekti. Bu nedenle ekip evin bütün ön cephesini siyah kumaşla kapladı. Filmi izlerken, bu sahnenin gece çekildiğine yemin edebilirsin.

Bir başka sahne ise gece çekildi ama gündüz çekilmiş gibi görünmesi gerekiyordu. Işık ekibi, öğleden sonra etkisi yaratmak için pencerelerden içeri dev ışıklar tuttu.

DEĞİŞİM

"Saftirik Greg'in Günlüğü"nün büyük bölümü Vancouver civarındaki gerçek okullarda, dükkânlarda, mahallelerde "mekanında" çekildi. Bu, bir Hollywwod setinde çekilmesi halinde eksik kalacak gerçekçi etkinin yaratılmasını sağladı.

Peki bir film ekibi filmi gerçek bir mahallede çekmek isterse ne olur?

Filmi çekenler, o bölgenin sakinleriyle belirli bir süre ve belirli koşullar altında mahallerinde çekim yapacaklarına dair bir anlaşma yaparlar. Birçok insan mahallesi bir filmde görüneceği için heyecanlanır, bu yüzden her şey genellikle sorunsuz ilerler.

Kimileri çekimlerde evinin kullanılmasını bile teklif eder. "Saftirik Greg'in Günlüğü"ndeki evlerin üçü -Greg'in evi, Rowley'in evi ve Fregley'nin evi- insanların yaşadığı gerçek evlerdi.

GREG'İN
EVİ

ROWLEY'İN
EVİ

FREGLEY'NİN
EVİ

139

Mahalle sakinleri, film ekibini evlerine aldı ve çekimler sırasında kalacak başka yerler buldu.

Tabii, film ekibi bir yere girdiğinde bir sürü değişiklik yapıyor. Birincisi, duvarlardaki her şey -resimler, lambalar, hatta mobilyalar- çıkarılup bir yerde saklanıyor.

Sonra set tasarımcıları ve dekoratörler burada kurgu karakterlerin yaşadığını gösterecek malzemeler ve eşyalar getiriyorlar. Duvarlardaki resimlerden kitap raflarına kadar her şey inandırıcılık sağlamaya çalışıyor.

Örneğin kitapta Greg'in babası bir İç Savaş meraklısı. Bu yüzden Heffley'lerin evi İç Savaş kitapları ve minyatür biblolarla dolu.

Evlerin gerçek gibi görünmesini sağlamak için, set tasarımcıları oyunculardan aile fotoğraflarını istediler. Bunları duvarlara asabilecek ya da şifoniyerlerin üstüne koyabileceklerdi. Rowley'in odasındaki fotoğraflardan bazıları Capron'ların aile albümünden alındı.

Tıpkı kostümleri gibi yaşadıkları evler de karakterler hakkında fikir verir.

Rowley'in odasına bakalım. Onun dinozorlara ve astronotlara meraklı olduğunu ve zevklerinin yaşına göre biraz küçük kaldığını görebiliriz.

Rowley'in şifoniyerinin çekmecelerinin kulpları bile astronot temalı.

İnsan, Rowley'in annesinin oğlunun odasının dekorasyonunda epey etkili olduğu hissine kapılıyor.

Kitaplarda, Rowley Joshie adında bir şarkıcının büyük hayranı. Bu yüzden sanat departmanı, Rowley'in odası için Joshie posterleri tasarladı.

Sanat departmanı, Rowley'in odasında duvar kâğıdından yatağa kadar her şeyi tasarladı. Yatağın hem çocuksu hem de havalı görünmesini istediler.

Rowley'in roket yatağı için hazırlanan planlar:

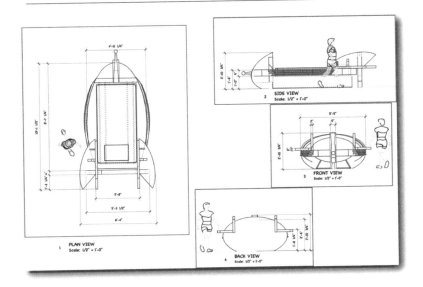

Bütün bu çalışma, izleyicilere Rowley'in nasıl biri olduğu konusunda fikir vermek için yapıldı. Ve hepsi, filmin son halinde bir ya da iki dakika yer alacak birkaç sahne içindi.

Fregley'in odası başka bir hikâye anlatıyor. Duvarlardaki resimlerden raflardaki garip eşyalara kadar her şey Fregley'nin normal bir çocuk olmadığını gösteriyor.

İnsan, Fregley'nin pek arkadaşı olmadığı hissine kapılıyor. Odasındaki her şey, bakanları rahatsız etmek için tasarlanmış sanki. Tıpkı Greg'in, Fregley'nin evine yatıya gittiğinde hissettiği gibi.

Fregley'nin salonu, annesinin kıyafetler (hatta belki oyun arkadaşları) hazırladığı yer, yine izleyicilerin Greg'in rahatsızlığını paylaşması için tasarlandı.

SAHTE

Filmde, satın alınamayacak, sadece film için hazırlanan eşyalar var. Bunları yaratan kişilere "malzeme sorumlusu" deniyor.

Malzeme sorumlusu, film için düzinelerce nesne yarattı. Oyun için üç ağaç kostümü ve güvenlik görevlisi rozetleri hazırladı. Fregley'nin raflarındaki bütün garip eşyaları, böceklerden kabuk koleksiyonuna kadar, o yaptı.

Fregley'nin Grege verdiği nota yapıştırılan sümük bile onun elinden çıktı. Bu arada belirtelim, o sümük yapışkan bir madde ile renkli balmumu karıştırılarak yapıldı.

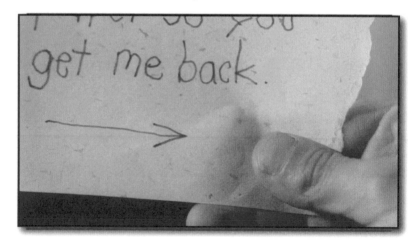

Malzeme sorumlusunun hazırladığı en karmaşık eşyalardan biri Greg'in günlüğü idi. Dükkanlarda gördüğünüz "Saftirik Greg'in Günlüğü" kitabının kapağı bilgisayarda tasarlandı. Ancak film için, malzeme sorumlusunun gerçek bir defter, kapak filan yaratması gerekti.

Filmde görünen günlüğü yaratmak haftalar aldı. Malzeme sorumlusunun gerçek bir günlük yaratmak ve bunları bir araya getirmek için bütün malzemeleri bulması gerekiyordu. "Saftirik Greg'in Günlüğü" kitabının kapağındaki dikiş dijital olabilir ama filmde gerçekti.

Filmde Rowley kolunu kırıyor. Zaman içinde bir sürü insan okulda onun alçısını imzalıyor.

Filmde geçen zamanı göstermek için çeşitli lastik alçılar hazırlandı. Hepsinin arkasında bir bağlantı yeri vardı, böylece Rowley bunları kolayca takıp çıkarabiliyordu.

Malzeme sorumlusu, küçük kâğıtlara imzalar çizdi ve şekli belirlemek için bunları alçıya tutturdu. Sonra her tarafı imzalı alçı görüntüsü yaratmak için bunları elle lastiğe kopyaladı. Her ihtimale karşı, bundan iki tane hazırladı.

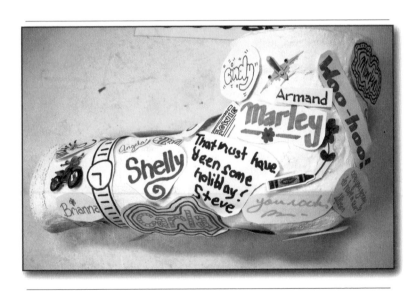

Alcının ilk halinde, malzeme sorumlusu daha
az imza kullanmış, bunların yerlerinin doğru
olduğundan emin olmuştu.

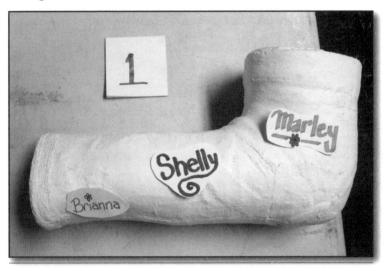

Sonunda ortaya son derece gerçekçi alçılar çıktı.
Robert da bunların, tıpkı gerçek alçılar gibi,
kaşındırdığını söyledi.

Malzeme sorumlusu, aynı zamanda filmde gördüğümüz yiyeceklerin çoğunun hazırlanmasından da sorumluydu. Güzel pastalardan Greg'in fırından çıkardığı yanan tencereye kadar her şeyi o hazırladı.

Yetişkin Greg'in hayalindeki malikanede yediği dev dondurma da onun marifetiydi. Bu dondurma yağ, glikoz, pudra şekeri ve kakao kullanılarak yapılmıştı ve ışıkların altında erimiyordu.

Ancak filmde gördüğün bütün yiyecekler malzeme değildir. TV'de birinin şu şu yiyeceklerin ne kadar lezzetli olduğunu söylediği bir reklam gördün mü hiç?

BU MISIR CIPSLERİ NEFİS!

Kameralar kayıttan çıktığında, oyuncular genellikle ağızlarındaki yiyecekleri tükürürler. Çünkü oyuncular o kadar çok tekrar yaparlar ki, eğer yiyecekleri gerçekten yutarlarsa hasta olurlar.

Bazen, "Saftirik Greg'in Günlüğü"nde bir yemek sahnesi çekilirken, yiyeceği tükürme şansı yoktu. Bu yüzden, eğer Zach Gordon ile karşılaşırsan, ona patates püresinden söz etme hiç.

GARAJ GRUBU

Kitapta, Rodrick'in müzik grubu Yalı Kayıt provalarını bodrumda yapıyor.

Filmde ise garajda prova yapıyorlar. Bu değişiklik neden? Çünkü Vancouver'da kullanılabilir durumda bodrumu olan pek fazla ev yok. Olsaydı bile, bütün film ekibini ve oyuncuları yerin altında bir odaya tıkmak sıkıntılı olurdu. Bu yüzden Yalı Kayıt bir garaj grubuna dönüştü

Yalı Kayıt grubunun üyelerini canlandıran oyunculardan yalnızca biri gerçek bir grupta çalmıştı ve o da solistti.

Oyuncular, Yalı Kayıt minibüsüne binmeden sadece birkaç dakika önce tanıştılar.

HEY, BİR ÇEKİMİ ATLADIK!

Her günün sonunda o günkü çekimlerin ham görüntüleri bir yerde toplanıyor ve DVD'lere yazılıyordu. Bu DVD'lere "günlükler" adı veriliyordu. Bunlar yönetmene, yapımcılara ve stüdyodaki yöneticilere filmin nasıl ilerlediği konusunda fikir veriyordu. Günlükler aynı zamanda herkesin atlanan bir şey olup olmadığını görmesine de olanak tanıyordu. Bazen belirli bir sahne için yeterince "malzeme" olmuyordu. Bu durumda yönetmenin eksiği kapatmak için ek çekim yapması gerekiyordu.

SAFTİRİK'İN
GÜNLÜĞÜ

14/09/2009

Sorun şu: Her zaman sahneyi ilk olarak çektiğin yere dönemiyorsun. Bu yüzden numaraya başvurmak zorundasın. Kantin sahnesinde de öyle oldu.

Ekiptekiler, Fregley, Greg ve Rowley'in duvara dayanmış halde oturdukları sahne için daha fazla malzemeye ihtiyac duyduklarına karar verdiler. Ama okullar açılmıştı ve yeniden Templeton'da çekim yapma şansı yoktu.

Strafordan bir duvar yapıldı ve tıpkı kantindekine benzeyecek şekilde boyandı. Sonra duvarın arkasına bir mavi ekran eklendi ve sahne yeniden çekildi.

Oğlanları kafeteryada duvara yaslanmış halde otururken gördüğün sahnede, oyuncular aslında Heffleylerin garajında, tam Yalı Kayıt'ın provalarının yapıldığı noktadalar.

SAYFADAN EKRANA

İşte kitaptan filme taşınan Cadılar Bayramı sahnelerinden bazıları:

BİR KEREDE YAP

Her sahne genellikle birçok kez çekilse de, insan bazılarını birden fazla kez çekmek istemiyor. Bunlardan biri de Cadılar Bayramı gecesinde, Greg'in babasının Greg ve Rowley'in kafasından aşağı su boca ettiği sahneydi.

Sahne çekilirken Ekim ayıydı ve Vancouver'da hava soğumaya başlamıştı. Kimse oyuncuların mecbur kalmadıkça ıslanmasını istemiyordu.

Üstelik çekim mükemmel olmadığında, oyuncuların kurulanması ve kendilerine yeni kostümler verilmesi gerekiyordu. Bu yüzden ilk seferinde doğru yapmak önemliydi.

Filmde, Bay Heffley ikinci katın penceresinden çocukların tepesinden aşağı su boca ediyor. Ama sahne çekildiğinde, iki adam kameranın dışında durdular, ikisinin de elinde birer kova su vardı. Oyuncular yerlerine geçmeden önce bu adamlar atış denemeleri yaptılar.

Yönetmen "Kayıt!" diye bağırdığında, adamlar kovalardaki suyu Zach ve Robert'in üzerine attılar.

Bunu bir kerede doğru yapmayı başardılar. O gece herkes evine mutlu gitti.

ROWLEY JEFFERSON, 007

Oyunculardan bazıları sette boş zamanlarını iyi değerlendiriyordu. Robert Capron zamanını James Bond'dan ilham alan film senaryoları yazarak geçirmeye karar verdi. Başrolde Rowley vardı tabii.

The truck exploded. The figure flew into the air along with me. As we tusseled in the air, I managed to rip off the figure's mask. I couldn't believe it. It was Collin. I yelled in suprise, and he kicked me, but I grabbed a tire from the truck that exploded and hurled it at Collin. Collin ducked, but the tire hit his arm and he hit the

$\square$ = debree
objects-debree

BOOM

* ÇEVİRİSİ SAYFA 230'DA

Robert sette "Benden Nefret Eden Dost", "Müdürün Gizli Servisinde" ve diğer senaryolar üzerinde çalıştı. İşte "Westmore'dan Sevgilerle"nin müthiş romantik anı:

I was right about to shoot, when Ana gave one look of despair that was so powerful, I couldn't do it. I just couldn't do it. I really, truly loved her. How was I supposed to shoot her? I couldn't do it. I helped her get up, and I told her that I loved her. She told me that she loved me back. We smiled at each other.

* ÇEVİRİSİ SAYFA 231'DE

İÇERİ TAŞIMAK

Vancouver'da ekim yağmur anlamına gelir. Bu nedenle, Cadılar Bayramı sahneleri çekildikten sonra, her şeyi içeri taşıma vakti gelmişti.

Bütün ortam yakındalardaki bir film arazisine yeniden kuruldu. "Soundstage" adı verilen bu yer, film için setlerin oluşturulduğu boş bir uçak hangarıydı.

Gerçek binalar ve evler varken setleri böyle "soundstage"lere kurmak neden? Bunun çeşitli nedenleri var.

Birincisi hava. Bir soundstage'de çalışıyorsanız, yağmuru, karı ya da soğuğu düşünüp endişelenmenize gerek olmayan bir ortamdasınız demektir. Çünkü başınızın üzerinde bir çatı vardır.

Bir diğer neden rahatlıktır. Tek bir yere birkaç set kurulduğunda, oyuncuları, film ekibni ve malzeme ile ekipmanı oradan oraya taşıyıp durmak gerekmez. Bu da zamandan tasarruf sağlar ve daha çok iş yapılmış olur.

Ancak "soundstage" kullanmanın esas nedeni, gerçek dünyada bulunamayacak türden setler kurulmasına olanak tanımasıdır. Kimi zaman, birçok farklı açıdan çekim yapabilmek için kameraları çevrede dolaştırabilmek gerekir. Bunu gerçek bir binanın küçük bir odasında yapmak zordur. Bir "soundstage" sahnesinde, daha fazla yer açmak için duvarlar kaldırılabilir.

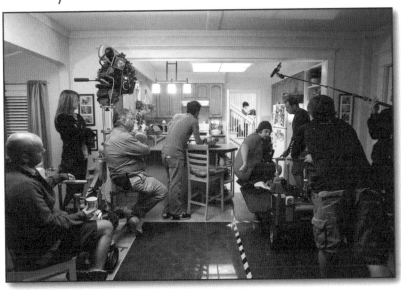

Set tasarımcıları soundstage'de üç oda inşa ettiler; Heffleylerin mutfağı, Greg'in odası ve Rodrick'in tavan arası. Bu odalar gerçek evlerde zaten var olduğundan, yeniden inşa edilmeleri garip olabilir; ancak birçok sahne bu noktalarda çekildiğinden, bunları soundstage'de oluşturmak mantıklıydı.

Set kurmanın, gerçek bir yapı inşa etmekten farkı yok aslında. Marangozlara, elektrikçilere, boyacılara ihtiyaç var. Planları çizmek için bir teknik ressama bile ihtiyaç duyuluyor. İşte Heffleylerin mutfağının planı:

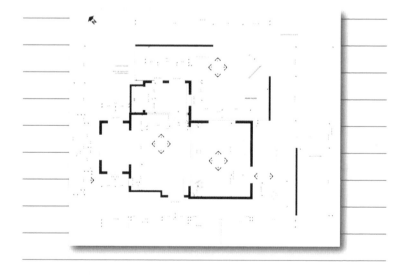

Ekranda gördüğün her şey en küçük ayrıntısına kadar planlanıyor. Pencerelerim bile tasarlanması gerekti.

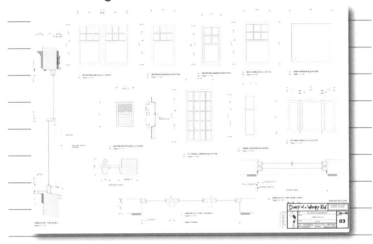

Set dekorasyon grubu işini bitirdikten sonra mutfak, hareketli bir aile yıllardır burada yaşıyormuş gibi görünüyordu.

YORUMA AÇIK ODA

Sıra Greg'in odasını tasarlamaya geldiğinde, sanat departmanı ellerinde pek fazla veri olmadığını fark etti. Kitaptaki çizimlerde odayla ilgili pek ayrıntı yok.

Greg'in odasının gerçek dünyada nasıl görüneceğini belirlemek set tasarımcılarının ve dekoratörlerinin hayal gücüne kalmıştı.

Önce, odanın gerçekçi görünmesi gerektiğine karar verdiler. Filmdeki birkaç sahne için yaratılmış bir oda gibi görünmemeliydi.

Set tasarımcıları ve dekoratörler burada gerçek bir çocuğun yaşadığı, hem de uzun süredir yaşadığı izlenimini vermek istediler.

Birçok çocuğun zevkleri ve ilgi alanları yıllar içinde değişir. Sonunda da odaları bir vakitler sevdikleri eşyalarla dolu bir tür müzeye dönüşür. Greg'in odasına yakından baktığında, eski kovboy oyuncakları, taş koleksiyonu, canavar maketleri ve uçak maketleri görebilirsin.

Set dekoratörleri şu aralar Greg'in korsanlığa merak saldığına karar verdiler. Bu yüzden Cadılar Bayramı'na korsan kıyafetiyle gidiyordu.

İlgi alanlarının sürekli değişmesi aslında Greg hakkında bir fikir veriyor. Dikkatini uzun süreyle bir şey üzerinde yoğunlaştıramıyor ve sürekli bir şeyden diğerine atlayıp duruyor. Bu nedenle, Greg'in odası, sonsuza dek çocuk kalmaya seve seve razı olan Rowley'in odasından çok farklı.

Set dekoratörleri, Greg'in odasının duvarlarına asılacak malzemeleri ayarlarlarken ciddi bir zorlukla karşılaştılar. Hatırlarsan, "Saftirik Greg'in Günlüğü"ndeki her şeyi zamansız görünmesi gerekiyor, izleyiciler öykünün hangi zamanda geçtiğini anlamamalı. Ancak birçok çocuk gündemdeki filmlerin, müzik gruplarının ve spor yıldızlarının posterlerini asıyor.

Greg'in odasında hiç spor ya da müzik grubu posteri olmasa da, bir bilgisayar oyun afişi var. Ama tabii bu gerçek hayatta var olan bir oyun değil.

Rodrick'in odası için set tasarımcıları ve dekoratörler daha az uğraştılar. Kitapta Rodrick'in çekmecesini karıştıran Greg'in şöyle bir resmi var:

Rodrick'in odası tam bir genç odası. Burada klasik heavy-metal gruplarının posterleri ve Rodrick'in seveceği diğer şeyler var.

Gençler bağımsızlıklarına düşkündürler; bu yüzden Rodrick ailenin geri kalanından ayrı, tavan arasında yaşıyor. Rodrick'in odası soundstage'de kurulan en büyük setlerden biri oldu. İşte buranın dışarıdan görüntüsü ve planı:

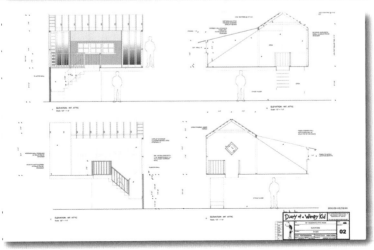

Fregley'nin odası, ekip mekanda çekim yaparken, gerçek bir evde çekilmişti. Ancak ekiptekiler yeterince malzeme olmadığına, Greg'in Fregley'ye tepkileriyle ilgili daha fazla görüntüye ihtiyaç duyduklarına karar verdiler.

Bunun üzerine Fregley'nin odasının yarısı soundtage'e tekrar kuruldu. Set tasarımcıları ve dekoratörler Fregley'nin odasındaki her eşyayı ilk yerine yerleştirmek zorunda kaldılar. Fregley'nin gerçek odasının durumunu görmek için de "süreklilik" fotoğraflarından faydalandılar.

Filmi izlerken bak bakalım, Fregley'nin odasının soundtage versiyonuyla orijinal halini birbirinden ayırt edebiliyor musun?

175

SON ÇEKİM

Çekimler sona yaklaştıkça, oyuncular da "son çekimlerini" yaptılar. Robert Capron son çekimlerden birinde mavi ekranın önünde bir kordona asılıydı. Büyük Bisikletten düşüşü sırasında havada uçuyordu.

Her oyuncu son çekimini yaptığında, diğer oyuncular ve ekiptekiler alkışlayıp tezahüratta bulunuyordu ve vedalaşıyorlardı.

Ayrılmak oyuncular için hiç kolay değil. Birkaç ay birlikte çalıştıktan sonra, oyuncularla ekip arasında güçlü bir bağ oluşuyor. Bu nedenle oyuncular evlerine, ailelerinin yanına dönüyorlar ama çekimler sırasında kurdukları ilişkileri de artlarında bırakmış oluyorlar.

Neyse ki herkes çekimlerin sonunda verilen büyük "veda" partisine davet ediliyor. Böylece eğlenip rahatlayabiliyorlar.

İronik bir biçimde, Zach Gordon'un son çekimleri, açılış konuşması idi. Bu Zach'ın ta en başında, Greg Heffley rolü için seçmelere katılırken canlandırdığı sahneydi.

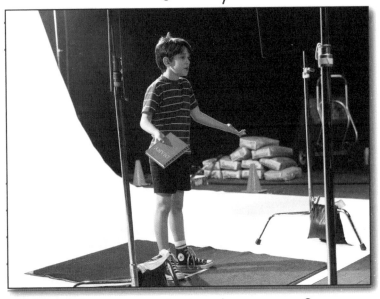

Zach için her şey ne kadar değişmişti. Greg Heffley kimliğinde üç ay geçirmişti ve artık eve dönme vaktiydi. Aynı zamanda Zach'in ortaokula başlamasının -bu kez gerçek hayatta- vakti de gelmişti.

TOPLANMAK

Oyuncular evlerine döndükten sonra, ekip seti ve filmle ilgili bütün malzemeleri toplayıp depoya götürüyor. Bazı sahnelerin yeniden çekilebileceğini, filmin devamının gelebileceğini ve bazı malzemelerin ya da eşyaların yeniden kullanılmasının gerekebileceğini düşünerek yapıyorlar bunu. İşte kutulara konup kaldırılan malzemelerden bazıları:

179

PARÇALARI BİRLEŞTİRMEK

Çekimlerin tamamlanmasından sonra, filmin izleyicilerin karşısına çıkmasına kadar katedilmesi gereken uzun bir yol var. Hatta, son çekimden SONRA yapılan işler çekimlerden daha uzun sürebiliyor. Bu aşama "post prodüksiyon" olarak adlandırılıyor ve görsel efektlerle ses efektlerinden jeneriğin hazırlanmasına kadar her şeyi içeriyor. Ancak en önemli iş film düzenleme.

Film düzenleme, çekilen bütün görüntülerin üzerinden geçmeyi, bunların en iyilerini seçmeyi ve sonra bunları birleştirip bir öyküye dönüştürmeyi içeriyor. Film editörü ve yönetmen, birkaç ay birlikte çalışarak filmin parçalarını bir araya getiriyorlar.

Editörler, film yapım sürecinde en önemli görevlerden birini üstleniyorlar çünkü öykünün ekrana nasıl taşınacağına karar verilmesine yardımcı oluyorlar.

Yönetmen filmi çekerken, yap-boz parçaları gibi, sırayla gitmeyen küçük çekimler yapıyor. Editör oyuncularının performanslarının en iyi bölümlerini seçiyor, kimi zaman sahneleri kesiyor ve hatta oyuncuların sözlerini değiştiriyor.

Editör öyküyü farklı şekillerde anlatmak için bütün parçaları yeniden düzenleyebilir. Bazıları buna "son yeniden yazım" diyorlar. Bunu "elastik versiyon" olarak da görmek mümkün çünkü öyküyü değiştirmek için bu son fırsat.

Editörün bir araya getirmekte en zorlandığı parçalardan biri, Greg'in anaokulu çocuklarını çamurlu çukura attığı yerdi.

Birincisi, sağanak yağış Zach ve beş yaşındaki çocuklar için işleri zorlaştırmıştı. İyi görüntüler bulmak zordu.

Zach çocukları çukura yuvarladığında, çukurda onları tutan biri vardı. Çukurun içinde yaylı bir minder olduğundan, bazen çocuklar geri sıçrayıp tekrar görüntüye giriyordu. Editör, çocukların hoplarken görünmediği görüntüler bulmak zorundaydı.

İyi ses kayıtları da bulmak zordu çünkü kameralar kayıttayken insanlar küçük oyunculara talimat vermek ya da destek olmak için seslenip bağırıyorlardı.

Sonunda, çocuklar başlarını kaldırıp Bayan Irvine'e baktıkları sahnede, yağmura doğru bakmak zorunda kalıyorlardı ve bu da gözlerini açık tutmalarını zorlaştırıyordu.

Editör bunlarda çok zorlandı ama sonunda yap-bozun parçalarını doğru şekilde bir araya getirdi.

SES KARARLARI

Yap-bozun büyük parçalarından biri de ses. Bazı sesler çekim sırasında kaydedilse de (örneğin oyuncuların diyalogları), post prodüksiyon sırasında elenen çok daha fazla ses var. Ses efektleri, aklınıza gelebilecek her sesi yaratmak için kullanılabilecek malzemelerle dolu ""Foley stüdyosu"nda oluşturuluyor. Örneğin filmde biri yumruk yiyorsa, kayıt mühendisi doğru sesi çıkarmak için bir karpuza sopayla vurabiliyor.

Ancak post-prodüksiyon sırasında yaratılan bütün sesler gürültüden ibaret değil. Müzik de var. Film düzenleme odasında filmin parçaları bir araya getirilirken, bir besteci de jenerik ve fon müziğini yaratıyordu.

Fon müziğini dinlemediğin sürece fark etmeyebilirsin ama müzik filmin önemli bir parçasıdır. Fon müziği sahnede olup bitenleri yansıtır ve izleyicilerin, karakterlerim hissettiklerini hissetmelerine yardımcı olur.

Örneğin Greg ve Rowley'in okulda geçirdikleri güzel bir günün ardından caddede yürüdükleri bir sahnede fonda hareketli, canlı bir müzik olabilir. Karakterlerden birinin korktuğu bir sahnede ise, izleyicilere gerilimi yaşatmak için yüksek sesli kemanlar kullanılabilir.

Filmde farklı ruh hallerini ve karakterleri yansıtmak için çeşitli müzik tarzları ve enstrümanlar kullanıldı.

HAREKET KAZANDIRMAK

"Saftirik Greg'in Günlüğü" filminin büyük bölümü canlı; ama Greg'in günlüğünden çizimlerin ekrana taşındığı yerler de var.

Kitaptaki iki boyutlu çizimlerin hareket ederken ilginç ve canlı görünmesini sağlamak bir grup animasyon ustasının işiydi.

Kitaptan bir illüstrasyon:

Bu sahnenin film versiyonunu animasyon ustaları bilgisayarda yeniden yarattılar ve karakterleri üç boyutlu ortama taşıdılar.

Sonra, sahnenin bir ortaokul öğrencisinin çizimleri hayata geçmiş gibi görünmesi için her şeye karakalem görüntüsü kazandırdılar.

İşte sonucu gösteren bir kare:

Anime edilen bir sahne şöyle bir araya geldi.

Filmde, Greg kendini Fregley ile ıssız bir adada yalnız kalmış halde düşünüyor. Önce Thor, karakterlerin durumunu gösterecek şekilde bir storyboard hazırladı.

Sonra daha ince bir kara kalem eskiz hazırlandı.

Sonra, animasyon ustaları çizimin "wireframe" versiyonunu oluşturdular. Bu, iki boyutlu çizimi animasyon ustalarının yönetebileceği şekilde üc boyutlu model haline getirdi.

Bundan sonra sanatçılar, gölgeli versiyonu yaratmak için "wireframe"i boyadılar. Bu onlara karakterlerin ete kemiğe büründüğünde nasıl görüneceği konusunda bir fikir verdi.

Sonunda gölgeleme kaldırıldı ve geriye sadece siyah çizgiler kaldı.

ÖN ARAŞTIRMA

Film gösterime sokulmadan önce, stüdyo "ekran testi" ya da "ön izleme" için bir grup insanı davet eder. Bunun nedeni, izleyicilerin filme nasıl tepki vereceklerini görmektir.

İzleyiciler doğru yerlerde gülüyorlar mı? Belli noktalarda sıkılmış görünüyorlar mı? Doğru zamanlarda korkuyorlar mı?

Filmin izleyicilerin karşısına çıktığı an, film ekibindekiler için çok önemli bir andır. Çünkü o ana kadar insanların nasıl tepki vereceği konusunda yalnızca tahmin yürütmüşlerdir.

Ekran testinden sonra, izleyicilere doldurmaları için anket formları dağıtılır.

ANKET

1. Filmi nasıl değerlendirirsin?
   ☐ HARİKA ☐ GÜZEL ☐ KÖTÜ

2. Filmi arkadaşına tavsiye eder misin?
   ☐ EVET ☐ HAYIR

3. Peynir hakkında ne düşündün?
   ☐ FAZLA İĞRENÇ ☐ YETERİNCE İĞRENÇ DEĞİL ☐ TAM KIVAMINDA

Anketler, film ekibindekilerin, filmi kamuoyuna sunmadan önce bir değişiklik yapmak gerekip gerekmediğine karar vermelerine yardımcı olur. Kimi zaman ekran testi izleyicilerinin söyledikleri, filmin son hali üzerinde çok etkili olabilir. Bazen de o kadar da etkili olmaz.

GREG'İ BİRAZ DAHA AZ SAFTİRİK YAPABİLİR MİSİNİZ?

BU (SADECE)
BİR GÜNLÜK DEĞİL...

Post prodüksiyon ekibi filmi bir araya getirmekle meşgulken, pazarlama departmanı da bütün dünyayı filmin başlamak üzere olduğundan haberdar etmek için çalışıyordu.

Pazarlama ekibinin en önemli işlerinden biri afiş ya da "ilan" tasarlamaktı.
İşte film afişinin ilk hali:

Bu da hem Zach Gordon'a hem de Greg
Heffley'in cizimine yer veren son hali:

HERKESE DUYURMAK

Filmin gösterime girmesi yaklaştıkça, oyuncular herkese bundan söz etmeye başladılar. Zach ve Robert basın turuna çıktılar, okulları ziyaret ettiler, spor etkinliklerine katıldılar, radyo ve televizyon programlarına gittiler, oturup filmle ilgili röportajlar yaptılar.

Çocuklar röportaj üstüne röportaj yapıyor, aynı soruları tekrar tekrar cevaplamak zorunda kalıyorlardı. Basın turunun sonunda artık birbirlerinin cümlelerini tamamlayabilir hale gelmişlerdi.

Sonunda bütün dünyanın filmi izleme vakti geldi. Zach ve Robert gala gecesinde kırmızı halıda yürüdüler ve kendilerini gerçek film yıldızları gibi hissettiler.

FOTOĞRAF ALBÜMÜ

197

198

200

201

İKİNCİ BÖLÜM: OKULA DÖNÜŞ

19 Mart 2010'da Saftirik Greg'in Günlüğü

sinemalarda gösterime girdi ve hayranları sayesinde bir numara oldu. Beş ay sonra, ilk filmin oyuncuları serinin devamını

çekmek için Vancouver'da yeniden bir araya geldi. Herkes yeniden işe koyulup bir film daha çekmek konusunda çok heyecanlıydı.

Birçok tanıdık yüz vardı ama yeniler de eklenmişti. "Rodrick Kuralları"nda Greg'in aşkı Holly Hills de dahil olmak üzere yeni karakterler var.

Holly Hills'i daha önce çeşitli filmlerde ve televizyon programlarında da yer alan yetenekli bir aktris olan Peyton List canlandırıyor.

Bir başka yeni karakter de Fran Kranz adlı oyuncu tarafından canlandırılan, Rodrick'in grup arkadaşı Bill Water. Filmde Bill yeteneksiz, aklı bir karış havada bir tip. Oysa gerçek hayatta Fran son derece akıllı biri. Ülkenin en prestijli okullarından biri olan Yale Üniversitesi'ne gitmiş.

Yönetmen koltuğunda da yeni bir yüz var. "Flushed Away" ve "Astro Boy" filmlerini yöneten David Bowers bu filmde görev alıyor ve ilk kez canlı bir film yönetiyor.

ÇARPICI BİR BAŞLANGIÇ

Ekiptekiler, "Rodrick Kuralları"nın çarpıcı bir başlangıcının olmasını istediler, bu yüzden ilk sahne bir paten pistinde kurgulandı. Tek sorun, Vancouver'da paten pistinin olmamasıydı. Yapım tasarımcıları apar topar film için bir pist oluşturdular.

Ekiptekiler boş bir bina kiraladılar ve eksiksiz bir buz pisti yarattılar. Zeminden ışıklara ve duvarlardaki uzay temalı aksesuarlara kadar her şeyi tasarlamaları gerekti. Hatta çalışmakta olan bir Slushee makinesiyle birlikte inandırıcı bir dinlenme alanı bir yarattılar.

Set dekoratörleri pisti bilgisayar oyunları, eski kaykaylar, hatta büfenin yakınındaki masalar için çöp kutularıyla doldurdular. Pistin gerçekçi görünmesi, bir film seti gibi görünmemesi için her şey yapıldı.

Pistteki çekimler altı gün sürdü. Her şey bittikten sonra, bütün set söküldü ve boş binada tek bir çöp bile bırakılmadı.

FİLM SİHRİ

Yeni film yeni zorluklar demekti ve ekip göreve
hazırdı.

Bir sahnede, Greg ve Rowley Rodrick'in
minibüsüne biniyorlar ve arkada oturacak
yer olmadığını görüyorlar. Çocukların minibüs
köşeleri dönerken ve tümseklerden geçerken
sağa sola kaymalarını sağlamak için, arabaya
"gimbal" adında her yöne dönebilen bir makine
yerleştirildi. Çocuklar Yalı Kayıt minibüsünün
içinde yolculuk ediyor gibi görünseler de aslında
yerlerinde oturuyorlar.

Bir başka sahnede, Greg bahçedeki serpme makinesinden kaçmak için kendini yana atıyor. Zach'in tekrar tekrar atlayıp yere düşmesini

engellemek için onu bir el arabasına bağladılar ve belirli bir yol boyunca çektiler.

Büyükbabanın dairesinde, Heffley'lerin bir sürü fotoğrafı var. Birinde de büyükbaba bütün aileyle birlikte görünüyor. Tek sorun, fotoğrafın çekildiği gün büyükbabayı

canlandıracak oyuncu henüz belirlenmemişti. Fotoğraf yine de çekildi ve büyükbaba daha sonra eklendi.

DİNLENME ZAMANI

İkinci filmin önemli setlerinden biri de büyükbabanın yaşadığı emekliler sitesiydi. Ekiptekiler yeni baştan bir apartman kompleksi yaratmak yerine, Vancouver'da Hollyburn House adında gerçek bir emekli sitesini kullanmaya karar verdiler. Sitenin sakinleri de film ekibini binalarında gördükleri için çok sevindiler.

Zach, iç çamaşırıyla ortalıkta dolaşmak zorunda kaldığı için zor bir gün geçirdi.

Sitenin sakinlerini canlandıran oyuncuların arasında, Hollyburn House'un gerçek sakinleri de vardı. Filmi izlerken, onları oyunculardan ayırt edip edemeyeceğine dikkat et bakalım.

Aynı zamanda yönetmenin sahnelerin arasına sıkıştırdığı görsel esprilere de dikkat et.

211

GERÇEK

Tasarım departmanı ikinci film malzemelerini hazırlamak için de çok çalıştı. Film için bir sürü obje yaratmak zorunda kaldılar. Bunların arasında Greg'in annesinin Anne Paraları olarak kullandığı paraları içeren oyunla büyükbabanın çok sevdiği kutu oyunu da vardı.

Malzeme sorumlusu David Dowling'in de işi başından aşkındı. Onun için en zorlu işlerden biri, doğum günü partisi için roket şeklinde pastalar hazırlamaki, Fregley için vantrilok kuklası yaratmak ve en fenası, Manny'yin iğneli yaldız topunu yapmaktı.

YETENEKLER YARIŞIYOR

"Rodrick Kuralları"nın son önemli seti kasabadaki yetenek yarışması. Bunun için Vancouver'da tarihi bir tiyatro salonu kiralandı ve ekip orada bir haftalık set kurdu. Karakterlerin çoğu bir an spotların altında göründü

Salon 2000 kişilikti, bu da koltukları doldurmak için çok sayıda figürana ihtiyaç duyulacağı anlamına geliyordu. Figüranların yemek yemeleri ve mola vermeleri gerekiyordu ve bu çekimleri bölüyordu. Çözüm? Şişme insanlar. Bir firmayla anlaşıldı ve arka sıraları doldurmak için yüzlerce şişme manken getirtildi.

Her mankenin maskesi, peruğu ve kıyafetleri vardı.

Yüzlerce sessiz, şişme insanla bir tiyatro salonunda film çekmek çok garip. Ama en azından hiçbiri tuvalet molası istemedi.

YALI KAYIT SAHNEDE

İkinci filmin büyük finalinde Rodrick'in grubu yetenek yarışmasında sahne alıyor. Her rock grubunun patlama yapacak bir şarkıya ihtiyacı vardır. Yalı Kayıt da bu önemli gün için bir şarkı yapmıştı.

İşte bir heavy metal hiti olmaya aday şarkının sözleri:

Explöded Diper

Lyrics by Evan Brau, Jeff Kinney, and Ryan Shiraki

You told us that we're losers
And we can't do nothin' right
You said we'd never make it
But just look at us tonight

Chorus
EX-PLÖD-ED DI-PER!
All over the place!
EX-PLÖD-ED DI-PER!
In yo' face!
EX-PLÖD-ED DI-PER!
Feel the Diper's thunder!
WE'RE GONNA HIT THE FAN!
Can't keep this Diper under!

This one goes out to all the folks
Who used to put us down
We're up on stage and
There you are just sittin' in your seat
It's time to face the music
And to feel our Diper heat

Chorus
EX-PLÖD-ED DI-PER!
We can't be stopped!

EX-PLÖD-ED DI-PER!
Your head is gonna pop!
EX-PLÖD-ED DI-PER!
You can't keep us down!
WE'RE GONNA HIT THE FAN!
And rock this sleepy town!

Once we shred this hall
And win the whole contest,
We'll unleash the force of
Löded Diper's awesome-num-ness.

Chorus
EX-PLÖD-ED DI-PER!
Ya hear that knock?
EX-PLÖD-ED DI-PER!
It's us. The Diper. And yes, we rock!
EX-PLÖD-ED DI-PER!
It's Diper happy hour!
WE'RE GONNA HIT THE FAN!
And unleash this Diper power!

EX-PLÖD-ED DI-PER! EX-PLÖD-ED
DI-PER! EX-PLÖD-ED DI-PER!

217

KONUK OYUNCULAR

Genellikle seti ziyarete gelen kişiler, sırf eğlence olsun diye, filmin bir sahnesine dahil edilir. Bunlara "konuk oyuncular" denir. "Rodrick Kuralları"nda da bol bol konuk oyuncu var.

Sıradaki özel konuk oyunculara dikkat et.

ROBERT CAPRON SR. (ROBERT CAPRON'UN GERÇEK BABASI), ROBERT'IN EKRANDAKİ BABASI BAY JEFFERSON'IN YANINDA OTURUYOR	HARRY BRAR (KARAN BRAR'IN GERÇEK BABASI) OĞLUNUN YANINDA OTURUYOR

YÖNETMENİN ANNE BABASI, RAY VE PAULINE
BOWERS KİLİSE SAHNESİNDE KORO ÜYELERİNİ
CANLANDIRIYORLAR. GERÇEK HAYATTA DA
İNGİLTERE'DE KİLİSE KOROSUNDALAR.

"SAFTİRİK GREG'İN GÜNLÜĞÜ" SERİSİNİN
YAZARI JEFF KINNEY, HOLLY HILLS'IN BABASINI
CANLANDIRIYOR VE KİLİSE SAHNESİNDE BANKTA
OTURUYOR.

PARTİ ZAMANI

"Saftirik Greg'in Günlüğü: Rodrick Kuralları" kitabında, Rodrick, ortaya bir fotoğraf çıkana kadar verdiği partiyi anne babasından gizlemeyi başarıyor. Filmde, tek bir fotoğraf yetmiyor. İşte Rodrick'in foyasını ortaya çıkaran fotoğraflar:

Parti sahnesi tamamlandıktan sonra, Zach Gordon'un filmin son sahnesini çekme, ekip ve oyuncularla vedalaşma vakti geliyor.

Çekimler boyunca, Zach gizlice ekip üyelerinin gömleklerine, pantolonlarına ve kapüşonlarına mandallar tutturuyordu. Zach'in son çekiminden sonra, ekibin ona bunun karşılığını ödeme vakti geldi.

Böylece, film coşkuyla tamamlanmış oldu. "Saftirik Greg'in Günlüğü" filmlerinde görev alan herkes yeniden bir araya gelmeyi ve partinin hiç bitmemesini umuyor.

JENERİK

Fox 2000 PICTURES Presents

A COLOR FORCE Production

"DIARY OF A WIMPY KID"

Greg Heffley
ZACHARY GORDON

Rowley Jefferson
ROBERT CAPRON

Susan Heffley
RACHAEL HARRIS

and

Frank Heffley
STEVE ZAHN

Music Supervisor
JULIA MICHELS

Music by
THEODORE SHAPIRO

CO-Producer
ETHAN SMITH

Costume Designer
MONIQUE PRUDHOMME

Film Editor
WENDY GREENE BRICMONT, A.C.E.

Production Designer
BRENT THOMAS

Director of Photography
JACK GREEN, ASC

Executive Producer
JEFF KINNEY

Produced by
NINA JACOBSON
BRAD SIMPSON

Based upon the book by
JEFF KINNEY

Screenplay by
JACKIE FILGO & JEFF FILGO
and GABE SACHS & JEFF JUDAH

Directed by
THOR FREUDENTHAL

TEŞEKKÜRLER

Safitirk Greg'in filmi için bir ordu yetenekli insan çalıştı ve bunların çoğu kitaba da katkıda bulundu. Fox'taki herkese –özellikle Carla Hacken, Elizabeth Gabler, Riley Ellis ve Nick D'Angelo'ya, Saftirik Greg'in Günlüğü'ne kitabı film haline getirecek kadar inandıkları için teşekkürler. Yapımcılar Nina Jaconson ve Brad Simpson'a yüreklerini ve ruhlarını filme koydukları ve bana bu ilk deneyimimde yol gösterdikleri için teşekkürler. Thor Freudenthal'a filmi şahane bir şekilde yönettiği, storyboardları ve günlük sayfalarıyla bu kitaba da katkıda bulunduğu için teşekkürler. David Bowers'a ikinci filmin yönetmenliğini üstlendiği ve filme bol bol mizah kattığı için teşekkürler. Monique Prodhomme'a muhteşem kostümleri ve düşüncenin el işçiliğine dönüşebildiğini görmeme yardımcı olduğu için teşekkürler. Brent Thomas'a prodüksiyon departmanındaki çalışmalara katkıları için teşekkürler. Kitapta çalışmalarını kullandığım bütün grafik sanatçılarına, set tasarımcılarına ve set dekoratörlerine teşekkürler. Müthiş sanatsal yeteneğini film için kullanan Lori Nesbit'e teşekkürler. Takımının çalışmalarını benimle paylaşan ve yardıma hazır olan Warren Carr'a teşekkürler. Olağanüstü malzeme sorumlusu David Dowling'e zamanını cömertçe ayırdığı ve her şeyi sabırla açıkladığı için teşekkürler. Tony O'Dell'e oyuncu koçu olarak düşüncelerini paylaştığı ve setteki çocuklar için harika bir rol model olduğu için teşekkürler. Cheryl Anderson'a setteki kahkahaları için teşekkürler. Kitapta şahane çalışmalarına yer verdiğim fotoğrafçılar Rob McEwan ve Diyah Pera'ya teşekkürler. Jeff ve Jackie Filgo'ya kitabı senaryoya dönüştürdükleri ve benim de senaryo yazma sanatını anlamama yardımcı oldukları için teşekkürler. Gabe Sachs ve Jeff Judah'a projeyi en sonuna kadar gördükleri ve senaryoya çok değerli katkılarda bulundukları için teşekkürler. Mike Murphy ve Mark Dornfeld'e görsel efekt sanatına kendilerini adadıkları ve anime Saftirik'in tıpkı kitaptaki gibi görünmesine yardımcı oldukları için teşekkürler. Max Graenitz ve ekibine ikinci filmdeki anime karakterleri için teşekkürler. Koordinatör Dave Hospes'e plan ve çalışmaları en ince ayrıntısına kadar tanımladığı için teşekkürler. Wendy Greene'e en yoğun zamanlarında film düzenleme sürecini anlattığı için teşekkürler Sinematograf Jack green'e olağanüstü yeteneklerini bu filmde kullandığı için teşekkürler. Ethan Smith'e nezaketi ve yardımları için teşekkürler. Virginia King ve Debbie Olshan'a yol göstericilikleri için teşekkürler. Zach Gordon ve Robert Capron'a yarattığım karakterlere büründükleri için teşekkürler. Linda Gordon'a bu kitaba katkıları, yardımları ve görüşleri için teşekkürler. Robert Capron Sr.'a her şeyin yolunda gitmesini sağlamaya çalıştığı için teşekkürler. Karen Brar'a yeteneklerini ve coşkusunu bizimle paylaştığı için teşekkürler. Jane Fielding'in oğullarının muhteşem resimleri için teşekkürler. Abrams'taki herkese, özellikle Chad W. Beckerman, Veronica Wasserman ve Scott Auerbach'a bu kitabı zamanında yetiştirdikleri için teşekkürler. Ajansım Sylvie Rabineau'ya yol gösterdiği ve dostum olduğu için teşekkürler. Avukatlarım Ike William, Paul Sennott ve Keith Fleer'a, yardımları için teşekkürler. Julie, Will ve Grant'a, bu kitabı yazmam uğruna benimle geçirdikleri zamandan fedakarlık ettikleri için teşekkürler. Bütün bu süreçte yanı başımdan hiç ayrılmayan Charlie Kochman'a özellikle teşekkürler.

EKLER

Diary of a Wimpy Kid

Greg Hefley's Perspective

In middle school I'm basically the only mature and normal student. For example my best friend Rowley is sort of a 4th grader because he acts like it, but I'll fix him up in no time, the good thing about him is he's warm hearted and doesn't really know how to act like a normal 6th grader but he is really lucky he has me.

My mom really doesn't get me all that well, I mean, she knows I'm in middle school but she treats me like a kid. And my dad, don't even get me started on my dad, the funny thing is he'd rather play with his miniature battlefield than hang out with his children or his family. *WHICH II FINE WITH GREG, UNTIL TREOUGY NIGHT.*

So yeh, my brother Rodrick is such a jerk he just finished giving me a prep-talk with his unshaved armpit hairs in my face. He always tortures me in ways no ordinary teenager could think of, it's like he's incredibly smart when it comes to torturing me, but he's not good in school, kind of funny, huh? *HE WOULD NOT COME OUT WITH THAT*

My little obnoxious baby brother Manny is like Rodrick the second, he always makes these weird grunting

226

Saftirik'in Günlüğü

Greg Heffley'in Bakış Açısı

Ortaokulda, olgun ve normal tek öğrenci kesinlikle benim. Örneğin en iyi arkadaşım Rowley dördüncü sınıf öğrencisi gibi, çünkü öyle davranıyor ama ben yakında onu da adam ederim. Rowley'nin iyi tarafı, çok iyi kalpli olması. Nasıl normal bir altıncı sınıf öğrencisi gibi davranılacağını bilmiyor ama çok şanslı, iyi ki yanında ben varım.

Annemin bana karşı davranışlarından pek hoşnut olduğumu söyleyemem. Yani, ortaokulda olduğumu biliyor ama bana çocukmuşum gibi davranıyor. Babama gelince… ne desem bilmem ki! İşin komik tarafı, çocuklarıyla ya da ailesiyle birlikte vakit geçirmek yerine minyatür savaş tahtasıyla oynamayı tercih ediyor.

Ve evet, bir de sinir bozucu abim Rodrick var. Az önce tıraş etmediği koltuk altı kıllarıyla beni esir aldı. Bana sürekli sıradan bir gencin asla aklına gelmeyecek yöntemlerle eziyet ediyor. Bana işkence yapmak sözkonusu olduğunda inanılmaz akıllı. Ama okulda hiç de başarılı değil. Komik di mi?

Sevimsiz kardeşim Manny de Rodrick gibi. Sürekli sinir bozucu sesler çıkarıyor.

Hi! My name is Rowley Jefferson. I am just moving into middle school, and I love it. It's amazing I got this far in life already!

I was born in Ohio, and moved here around the age of 5. I've always loved my parents, even though they can be strict. My parents are very rich, so we go on vacations a lot. I love going to new places, especially Europe. That's when I first heard about Joshie. He's the best singer ever! And then there's when I went to Australia. G'day, mate! Anyway, I love having fun, especially with Greg. Greg's my best friend, and we play all the time. He's a really nice guy, although sometimes we don't agree on things, Like going into his brother Rodrick's room, or acting like somebody else. But we're still great friends. I don't think I like people that are mean. They're not very nice, and you can't have fun with them. And people that lie are difficult,

Selam! Benim adım Rowley Jefferson. Ortaokula yeni başladım ve çok sevdim! Hayatta bu kadar yol katetmiş olmam çok güzel.

Ohio'da doğdum ve beş yaşındayken buraya taşındım. Bazen çok sert olsalar da annemle babamı çok seviyorum. Ailem çok zengin, bu yüzden sık sık seyahatlere çıkıyoruz. Yeni yerlere, özellikle Avrupa'ya gitmeye bayılıyorum. Joshie'nin adını da ilk böyle duydum. O dünyanın en iyi şarkıcısı! Bir keresinde de Avustralya'ya gitmiştik. Her neyse, eğlenmeyi çok seviyorum. Özellikle Greg ile. Greg benim en iyi arkadaşım, birlikte sürekli oyun oynuyoruz. Ara sıra anlaşamadığımız oluyor, mesela avisi Rodrick'in odasına girmek ya da başka biri gibi davranmak konusunda anlaşamıyoruz ama Greg çok kıyak biri. Bu yüzden arkadaşız.

The truck exploded. The figure flew into the air along with me. As we tusseled in the air, I managed to rip off the figure's mask. I couldn't believe it. It was Collin. I yelled in suprise, and he kicked me, but I grabbed a tire from the truck that exploded and hurled it at Collin. Collin ducked, but the tire hit his arm and he hit the

i) ⫿ = debree
objects-debree

POW

Kamyon inflak etti. Yaratık benimle birlikte havaya fırladı. Havada uçarken, yaratığın maskesini çıkarmayı başardım. Gözlerime inanamadım. Collin idi. Şaşkınlıkla bağırdım. Beni tekmeledi. Ben de patlayan kamyondan bir lastik alıp ona fırlattı. Lastik onun koluna çarptı.

I was right about to shoot, when Ana gave one look of despair that was so powerful, I couldn't do it. I just couldn't do it. I really, truly loved her. How was I supposed to shoot her? I couldn't do it. I helped her get up, and I told her that I loved her. She told me that she loved me back. We smiled at each other.

Tam ateş edecektim. Ana bana öyle umutsuz baktı ki ve bakışı o kadar güçlüydü ki yapamadım. Onu gerçekten seviyordun. Nasıl vurabilirdim? Yapamazdım. Kalkmasına yardım ettim ve onu sevdiğimi söyledim. O da beni sevdiğini söyledi. Birbirimize gülümsedik.

231